# Plan de Entrenamiento para Triatlón

# Plan de Entrenamiento para Triatlón

## John Mora

TUTOR

Editor: Jesús Domingo
Coordinación editorial: Paloma González
Revisión técnica: Dr. Alberto Muñoz Soler

Título original: *Triathlon Workout Planner*
Publicado por primera vez en EE.UU. por Human Kinetics, Inc.

© 2006 *by* John M. Mora

© 2007 de la versión española
   *by* Ediciones Tutor, S.A.
   Marqués de Urquijo, 34. 28008 Madrid
   Tel: 91 559 98 32. Fax: 91 541 02 35
   e-mail: info@edicionestutor.com
   www.edicionestutor.com

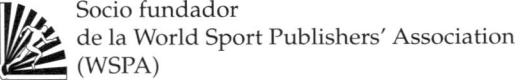

Socio fundador
de la World Sport Publishers' Association
(WSPA)

Fotografías de interior y de cubierta: © Human Kinetics
Traducción de María Calonge Prieto para Argos GP, S. L.

ISBN 13: 978-84-7902-658-5
ISBN 10: 84-7902-658-8
Depósito legal: M-22609-2007
Impreso en Brosmac, S. L.
Impreso en España – *Printed in Spain*

*Para programarse un entrenamiento triatlón necesita disciplina, energía y, sobre todo, pasión.*

*Dos personas que planifiquen su vida juntas podrán conseguir esto y más.*

*Para Linda, que me da más de lo que podría pedirle a cada día.*

# Contenido

## PRIMERA PARTE
### Planificación para el éxito

## SEGUNDA PARTE
### Entrenamiento personalizado

## TERCERA PARTE
### Programas de carreras

# Prólogo

¿Alguna vez se ha esforzado para conseguir algo y ha descubierto una vez en la calle que no tiene el tiempo, la energía y la motivación suficientes para continuar? O aún peor, ¿se ha agotado física, mental y espiritualmente con el objetivo de alcanzar una meta sólo para darse cuenta de que no ha disfrutado de nada de lo que ha hecho?

Si realmente quiere ponerse en forma y lograr sus metas de triatlón, tiene que ser realista, organizado y centrar su atención en los ejercicios que le sirvan para poder cruzar la línea de meta con un buen sprint.

Para cada persona ser *realista* es una cosa distinta. Lo que puede ser adecuado para uno puede ser totalmente inapropiado para otro. Todos tenemos diferentes responsabilidades: trabajo, familia y compromisos sociales. El truco está en establecer un nivel de compromiso (la distancia de la carrera y la meta) que nos sirva para mantener un estilo de vida equilibrado, y para que esto ocurra tiene que juntar todas las piezas. *Plan de entrenamiento para Triatlón* se ha diseñado simplemente para que pueda hacer esto mismo y entrenar de una manera inteligente y eficaz dentro de sus propias limitaciones de tiempo.

La primera parte del libro contiene la información necesaria para empezar. Aprenderá a cómo decidir cuál es la mejor meta de la carrera, a organizarse y fijar prioridades, los ejercicios que mejor se adapten a su horario, y a cómo elaborar un plan general de entrenamiento que se ajuste únicamente a sus necesidades y metas. Esta parte contiene también algunos conceptos claves que mejorarán enormemente sus oportunidades de éxito, tanto para sacar el máximo provecho del tiempo del que disponga como para alcanzar la meta de la carrera.

La segunda parte le presenta algunas herramientas imprescindibles para que entrene de una forma más eficaz e inteligente y obtenga mejores resultados. Le enseñará además a cómo utilizar el entrenamiento de la frecuencia cardiaca según sea su nivel de capacidad aeróbica y cómo acondicionarlo a las zonas de entrenamiento para llevar a cabo un entrenamiento específico de triatlón. Algunos conceptos como *ejercicios clave* y *el cumplimiento de la regla 80/20* le ayudarán a mantenerse en la dirección correcta y avanzar a pasos agigantados hacia la meta. En esta parte incluyo descripciones de los intervalos, bricks y una gran cantidad de ejercicios clave que le servirán a la hora de elegir y escoger los que mejor se adapten a sus necesidades. Las estructuras de estos entrenamientos, comprobadas en la carrera, contribuirán directamente al éxito en el día de la carrera.

Los ejemplos de ejercicios de la tercera parte son una buena sugerencia de cómo organizarse el plan de entrenamiento individual. Adaptados para cada una de las cuatro distancias de triatlón más comunes, estos ejercicios vienen acompañados de imágenes que le muestran lo que puede incluir el típico entrenamiento, así como un programa de reducción que le ayudará a recuperarse y a estar fresco para ese gran día.

La tercera parte incluye el programa de ejercicios donde anotar su mejor marca, que le ayudará a conseguir sus metas. Con las hojas de ejercicios del programa semanal podrá empezar cada semana consultando las metas alcanzadas y planificar con todo detalle el entrenamiento del día a día y decidir la mejor forma de aprovechar el tiempo durante la próxima semana. El diario de entrenamiento está diseñado para que pueda apuntar los ejercicios que haga cada día y garantizar de esta manera que están preparados en la misma línea que sus metas, sirviéndole de consulta en los entrenamientos posteriores. Aparte de la información estándar de los ejercicios, como la distancia, el tiempo y la carrera, el diario de entrenamiento contiene distintos campos para completar que le servirán para estar sincronizado con su programa semanal de ejercicios y llevar un seguimiento del progreso que realice con el objetivo de lograr esa meta a largo plazo. Cada página del diario de entrenamiento es un peldaño en la escalera de carreras triatlón que le conducirá a nuevos récords para cruzar la meta. Por último, en la página recopilatoria podrá recoger los totales del entrenamiento y tenerlos siempre a mano.

Para algunos, las razones de una carrera son tres: terminar, mejorar y ganar. No importa cuál sea su objetivo, el *Plan de entrenamiento para Triatlón* le ayudará a entrenar de forma más inteligente, más eficaz y más eficiente. Todo ello, junto con las técnicas de entrenamiento comprobadas para potenciar el rendimiento, le ayudará a conseguir en muy poco tiempo sus metas triatlón.

# Agradecimientos

Agradezco a las siguientes personas el haber aportado sus conocimientos técnicos para la elaboración de este libro. Al entrenador Mathew Luebbers, por ayudarme de manera incalculable con los ejercicios de natación y los ejercicios correctivos. Al entrenador «S.T.», Steven Truesdale, por haber compartido conmigo sus ejercicios y amplio conocimiento en el entrenamiento de todo lo relacionado con el ciclismo. A Marti Schoenberg, masajista terapéutico del Oasis Day Spa de Nueva York, por haberme enseñado los beneficios del masaje. A la nutricionista Lisa Cohn, por sus nociones básicas sobre nutrición. Al doctor Joe Caraccilo, que me ha enseñado los beneficios de rendimiento del yoga; y a la monitora de Pilates Michelle Peperone por haberme prestado una ayuda similar.

Por último, me gustaría darle las gracias a Martin Bernard, de la editorial Human Kinetics, por haber compartido conmigo su opinión sobre este libro, así como por sus habilidades editoriales y consejos sobre triatlón.

## PARTE I

# Planificación para el éxito

Establecer prioridades, gestionar bien el tiempo y programarse son los primeros pasos necesarios para alcanzar su meta triatlón. Cuando aprenda a cómo planificarse y a entrenar de una manera adecuada dentro de sus propias limitaciones de tiempo, podrá maximizar el rendimiento de los ejercicios a la vez que mantiene un ritmo de vida equilibrado. Y lo más importante, estos consejos le aportarán una mayor claridad y concentración en su entrenamiento dándole la mejor oportunidad para alcanzar la meta triatlón que se proponga. Así que saque su traje de neopreno y empecemos a trabajar.

# CAPÍTULO 1

# *Lista de prioridades*

Admítalo, le ha entrado el gusanillo de triatlón. Oficialmente ya está tri-enganchado. Si lee este libro es porque está muy concienciado con el entrenamiento. Pero entrenar por entrenar puede al final agotarle y los triatletas han ido por ese camino demasiado tiempo durante años.

Lo que necesita es un programa, un buen programa que incluya sus metas personales dentro de un contexto realista, mientras saca el máximo rendimiento de su tiempo. En tanto que siga adelante en la búsqueda de su propia gloria triatlética, lo primero que tiene que hacer es decidir en qué punto se encuentra su corazón. Elegir sus metas no debería ser como disparar al vacío. Es un proceso de autoevaluación para decidir los objetivos que hagan funcionar su corazón en más formas que la cardiovascular.

La clave para alcanzar lo que quiera conseguir con su entrenamiento triatlón es sencilla. Como la mayoría de las cosas en la vida, es una cuestión de fijarse unas prioridades y planificarse un entrenamiento inteligente y realista en torno a unos objetivos. En este capítulo, cuando empecemos a fijar nuestros propios objetivos, a evaluar la capacidad aeróbica en distintos niveles y a considerar las distancias que mejor se adaptan a nuestras necesidades, empezaremos nuestro viaje hacia un entrenamiento triatlón más eficiente y eficaz. Además veremos los beneficios de dos herramientas de entrenamiento: el calendario de las carreras de temporada y el diario de entrenamiento.

## ESTABLECER LAS METAS

Hace poco tuve una experiencia desagradable mientras hacía la carrera larga de la semana. Después de estar luchando mental y físicamente durante los primeros 10 kilómetros de los 20 del recorrido, llegué a una conclusión desalentadora: no quería correr. Pero seguí corriendo, básicamente porque estaba a 10 kilómetros de casa

*Fijar metas en su entrenamiento le ayudará a atravesar la línea de meta con una sonrisa.*

(que es lo mejor de este tipo de recorridos de ida y vuelta: no puedes volver a casa hasta que no termines la carrera). No había ninguna razón física por la que la carrera me había resultado tan dura. Durante los días siguientes me recuperé sin problemas, de hecho, más rápido de lo normal. Pero después de analizar todos los factores, comprobar mi diario de entrenamiento y examinar cualquiera de las variables que pudieran haber cambiado recientemente en mi programa de entrenamiento, me di cuenta del problema: no me había impuesto una meta.

Quizá usted sea el tipo de triatleta que entrena por entrenar. Si es así, es un auténtico triatleta que ya ha pasado por los tres niveles de la tri-evolución: de novato a «luchador de fin de semana» y de «luchador de fin de semana» a estar tri-enganchado. A mí personalmente me es difícil entrenar durante más de media hora o aumentar más de 150 pulsaciones por minuto la frecuencia cardiaca durante un largo período de tiempo a menos que tenga un propósito bien definido en el entrenamiento. Cuando hace poco decidí saltarme este verano una media-Ironman* por incompatibilidad con mi horario de trabajo, tuve que enfrentarme a una carrera de 20 kilómetros sin propósito. Como resultado perdí energía y motivación, que se exteriorizaron en malestar físico y fatiga.

Un verdadero tri-enganchado nada, monta en bici y corre a pie por el simple hecho de entrenar y para conseguir los beneficios, tanto físicos como mentales, de ejercitar el cuerpo de una manera tan maravillosamente agotadora. El tri-enganchado entrena por el puro placer de entrenar; sin embargo, todo triatleta, no importa el grado de dedicación o motivación que tenga, se beneficiará de las metas que se imponga y de diseñar un programa de entrenamiento basado en alcanzar ese objetivo. Su meta a largo plazo debería ser simplemente su principal objetivo guiado por el deseo de su corazón y ayudado por unas metas a corto plazo.

## Metas a corto plazo

En cuanto empiece a pensar en su meta o en una serie de objetivos (como el completar una serie de carreras múltiples en un tiempo acumulativo determinado), es fácil caer en la trampa de equivocarse al establecer las metas a corto plazo que le llevarán a ese punto. Aunque su meta principal a largo plazo sea llegar al final de la escalera triatlón, tiene que subir cada peldaño, es decir, llegar hasta los peldaños provisionales que necesita para poder alcanzar los niveles cada vez más altos de rendimiento.

También puede pensar en las metas a corto plazo como los eslabones de la cadena que le llevarán donde quiera ir, pero sólo centrarán su atención durante unos días, semanas o meses. A menudo suele haber varias metas a corto plazo para cada una a largo plazo. Con unas metas realistas a corto plazo, motivadoras y que se puedan entrelazar entre sí en el mismo programa de entrenamiento estará usted bien situado para poder cruzar esa línea de meta con una enorme sonrisa.

---

\* Las distancias de la media Ironman son: 1,9 km de natación, 90 km de ciclismo y 21 km de carrera.

Realmente sin pensarlo cada uno de nosotros se establece unas metas a corto plazo para las tareas normales y cotidianas de cada día: vamos al supermercado, al trabajo y llevamos a los niños al colegio. Siempre que decidimos hacer algo el subconsciente se apodera de nosotros y hacemos todas esas cosas, algunas veces incluso sin acordarnos de que las hicimos. Aunque puede que la natación, el ciclismo y la carrera a pie no entren en la misma categoría que los recados de la vida diaria, establecer unas metas a corto plazo le ayudará a centrarse y a aclararse con el entrenamiento triatlón de cada día y de cada semana.

El carácter y las características de sus metas a corto plazo para el entrenamiento triatlón son quizá incluso más importantes que las de sus metas a largo plazo. El tiempo que emplea fijando estos pequeños pasos intermedios es más importante para que tenga éxito que cualquier otra cosa que haga en las primeras fases del entrenamiento. Esto ocurre porque las primeras etapas del entrenamiento hacen que tenga más probabilidades de lesionarse y agotarse si sus metas son al principio muy altas. Pero cuando tenga tiempo para establecer las metas a corto plazo, reguladas con un sólido conocimiento de su capacidad física actual y con unos principios de entrenamiento basados sobre la experiencia, dará en el blanco con esa meta a largo plazo.

Lo primero que tiene que entender es qué es lo que hace unas buenas metas a corto plazo. En el momento que empiece a meditar sobre algunos de los pasos intermedios que tiene que tomar para ir hacia la meta, asegúrese de que sus metas triatlón a corto plazo son:

- **Específicas.** Asegúrese de fijarse unos puntos de referencia concretos que luego pueda evaluar. Si no fuera así, ¿cómo sabría cuándo ha alcanzado su meta? Los puntos de referencia no tienen por qué ser complicados, simplemente tienen que ser lo suficientemente específicos para que pueda apreciar el momento en el que ha logrado su meta y premiarse luego por ese logro. Por ejemplo, entrenar al menos cinco días a la semana durante una hora al día es una buena meta a corto plazo porque le proporciona claros puntos de referencia que sirven para determinar la frecuencia y la duración del ejercicio en cuestión. Y a la inversa, «entrenar de manera constante» no es algo específico: no le proporciona los detalles y la evaluación de la meta que necesita para motivarse y entrenar de una manera apropiada.

- **Realistas.** Debe interiorizar unas metas de rendimiento —aquellas que se basan en las cosas que puede controlar— frente a las metas de resultado, que dependen de muchas variables incontrolables. La meta de entrenar cinco días a la semana durante una hora al día es realista porque puede controlar las veces que entrena a la semana y las horas que dedica. De cualquier modo, ponerse la meta de ir el primero en una carrera competitiva de algún club de ciclismo sólo puede desanimarle si todavía no ha alcanzado ese nivel de condición física y las habilidades propias del ciclismo para alcanzar esa meta. Puede encontrarse con que el éxito conseguido en una serie de metas de rendimiento interiorizadas le conducirá a menudo a unos logros externos, como el poder colocarse en su grupo de edad.

• **Prioritarias.** Sus metas a corto plazo deben centrarse primero y ante todo en los puntos débiles de su entrenamiento, es decir, en las áreas que le resultan más complicadas. Por ejemplo, si la natación es su punto débil, merece fijarse una meta de natación a corto plazo al menos de tres a cinco veces a la semana. Si la consistencia en general es un problema, lo mejor es ponerse un número determinado de horas o ejercicios durante la semana. Muchos triatletas caen en el error de centrarse en la resistencia e ignorar las debilidades que tienen en el entrenamiento. Establezca un sistema prioritario de metas para redirigir sus necesidades más urgentes y reforzar su debilidad más problemática.

Tome nota de las metas que le ayuden a enfocar su programa de entrenamiento. Utilice las herramientas de planificación que le proporciona este libro para apuntar las metas a corto plazo, pero utilice también el resto de las herramientas diarias, como la planificación del tiempo de su programa diario o semanal y una libreta de contactos centralizada. No pase por alto este paso. De hecho, tomar nota de las metas triatlón a corto plazo en un trozo de papel o en una ficha electrónica que pueda llevar consigo durante el día es una buena pista visual y un recordatorio sutil durante los distintos momentos del día cuando no haga ningún ejercicio.

## Metas a largo plazo

Alcanzar una meta a largo plazo es posiblemente una de las cosas más importantes que usted tenía en mente cuando ha decidido comprar este libro. Quizá sea completar su primera distancia triatlón, su primera carrera Ironman o finalizar una serie de eventos multideporte. Fíjese una meta a largo plazo que sea desafiante pero realista. Y lo más importante de todo, utilice algo de tiempo para asegurarse de que la meta que se ha propuesto es compatible con sus prioridades, trabajo y obligaciones familiares.

Enfrentémonos a ello, adaptar el entrenamiento triatlón a un estilo de vida muy ajetreado puede constituir un gran reto. A menos que esté económicamente bien situado, tenga pocas obligaciones familiares y disponga de mucho tiempo para practicar la natación, el ciclismo y la carrera a pie, el entrenamiento triatlón requiere buenas habilidades para mantenerse en equilibrio. En los próximos capítulos leerá sobre la gestión eficiente del tiempo y las herramientas que necesita para que le funcionen estos malabarismos, contando con que anteriormente se haya impuesto una meta realista a largo plazo para situarse desde el principio en el camino correcto.

Las metas a largo plazo comparten las mismas características mencionadas en las metas a corto plazo, aunque para las primeras se añaden los siguientes factores:

• **Con visión de futuro.** He subrayado la importancia de basarse en la realidad a la hora de establecer las metas, pero igual de importante es pensar de una forma más creativa cuando tenemos que fijarnos un objetivo triatlón. Si es un triatleta veterano que ha corrido sprints o distancias olímpicas durante algún tiempo, ¿ha pensado en dar el salto a la carrera media-Ironman o Ironman? ¿Qué dice sobre completar una serie de carreras en un tiempo acumulativo? Cuando reflexione sobre la meta a conseguir, tómese la libertad de pensar en todas las posibilidades.

• **Creíbles.** Debería calmar su punto de vista del entrenamiento con la creencia de que su meta a largo plazo es convincente. Lo que realmente crea *usted* es lo que puede conseguir, no lo que otros puedan pensar. Usted mejor que nadie sabe a qué es a lo que se puede comprometer y qué es lo que puede lograr, asegúrese entonces de que lo que cree está ahí desde el principio.

• **Inspiradoras.** No serán fáciles muchos de los meses de entrenamiento que le quedan por delante. Aunque el entrenamiento triatlón y la carrera forman parte de los momentos más divertidos de mi vida, puedo recordar precisamente muchas de las largas y calurosas carreras en bici llenas de baches y de igual modo las pesadillas pedestres. Lo que hizo que siguiera fue la meta de la carrera que no podía abandonar. Asegúrese de que su meta a largo plazo le dará fuerza y motivación en los meses de duro entrenamiento que están por venir.

La Tabla 1.1 muestra algunos ejemplos de cómo usar una herramienta de planificación para crearse un mapa de los caminos y alcanzar sus metas triatlón. Utilice el planificador de metas de la tabla 12.1 (véase p. 144) que le servirá para establecer sus metas a corto y a largo plazo.

### Tabla 1.1. Ejemplos de planificación de metas

| Meta a largo plazo | | Fecha límite |
|---|---|---|
| Termine primero la distancia media-Ironman | | (Fecha de la carrera) |
| **Meta a corto plazo** | | **Fecha límite o metros** |
| | Haga ejercicio al menos cinco días a la semana | Empiece ahora |
| | Los miércoles por la noche salga en grupo a correr en bici | Empiece este miércoles |
| | Corra los domingos de cada semana 40 kilómetros en una carrera larga | Empiece esta semana |
| | Participe en al menos cuatro carreras de bici multitudinarias durante este verano | (Escriba las fechas de las cuatro carreras) |
| | Corra media maratón al final del verano como entrenamiento de la carrera | (Fecha de la carrera) |
| | Levántese una hora antes los lunes, miércoles y viernes de cada semana para hacer ejercicios maestros de natación en grupo en la sede de YMCA[1] | Empiece este lunes |
| | Ahorre unos 40 euros cada mes para comprarse una tri bici | 800 euros el (fecha) |
| | Únase al club de triatlón de su ciudad. | Ir a la presentación de nuevos miembros el (fecha) |

[1] YMCA (Young Men's Christian Association) es una asociación de intervención social, educación en el tiempo libre, formación y cooperación internacional que fomenta sus valores con el deporte, entre otros. Organiza pruebas triatlón. *(N. de la T.)*

# EVALUAR LA CONDICIÓN FÍSICA

Para poder llegar hasta donde usted quiere, es vital saber el punto en dónde se encuentra. Cuando se planifique para una meta triatlón, uno de los primeros pasos más importantes será hacerse algunas preguntas sobre su condición física actual. Ahora que ha anotado sus metas a largo plazo y los pasos que necesita seguir para alcanzarlas, es hora de que eche un buen vistazo al estatus de su mejor herramienta: el cuerpo.

Los tres elementos fundamentales del estado físico son el acondicionamiento cardiovascular, la fuerza y la flexibilidad. Aunque la mayoría de los triatletas se centran en la capacidad cardiaca, estos tres componentes en su totalidad definen la condición física en general. Cuando evalúe el nivel de su condición física debe tener en cuenta la fuerza y la flexibilidad. Si en los deportes de resistencia se centra en el acondicionamiento cardiovascular sin tener en cuenta la fuerza del entrenamiento, acabará por romper el equilibrio del régimen de sus ejercicios y como consecuencia podría lesionarse. Del mismo modo, si se concentra únicamente en la fuerza del entrenamiento haciendo caso omiso del acondicionamiento cardiovascular, carecerá de resistencia durante casi cualquier actividad que practique.

Echemos un vistazo a cada uno de los tres componentes por separado y determinemos algunos de los tests de evaluación y preguntas que le pueden ayudar a comprender mejor su nivel físico actual. Con esta información podrá realizar los cambios necesarios en sus metas y estar mejor preparado para planificar su entrenamiento.

## Capacidad aeróbica

La capacidad aeróbica es la suficiencia de los pulmones para proporcionar oxígeno a la sangre y la capacidad del corazón para transportarla a las células del cuerpo. Básicamente es la capacidad para poder realizar una actividad física durante un largo período de tiempo y aunque existen distintos métodos que se utilizan para calcularla, en este libro he escogido dos que destacan como unos medidores excelentes en los deportes de resistencia. Algunos de los sistemas de medición son más precisos que otros, pero al final tendrá usted que valorar su capacidad aeróbica de forma justa y objetiva para que el entrenamiento empiece a un ritmo, intensidad y duración adecuados a sus necesidades.

### $\dot{V}O_2max$

El término $\dot{V}O_2max$ es un sistema de medición cardiorrespiratoria que se utiliza para calcular la capacidad de nuestro cuerpo para repartir en un minuto el oxígeno a las células, cuanto mayor sea el $\dot{V}O_2max$, en mejor condición física estará el atleta. Tal y como aparece en el epígrafe, el $\dot{V}O_2max$ representa el máximo volumen de oxígeno que se puede consumir de la corriente sanguínea y que los tejidos en funcionamiento utilizan durante un período de tiempo determinado. Por ejemplo, los ciclistas de élite y otros atletas de resistencia pueden tener unos valores de $\dot{V}O_2$max muy altos, de 70 a 80 ml/kg/min. Un triatleta en forma que entrene y corra a diaro probablemente tiene un valor de 35 a 50 de media, mientras que para las personas que no practican ningún deporte por lo general es inferior a 20.

¿Cómo puede calcular su $\dot{V}O_2$max? Si tuviera tiempo y dinero para poder someterse a una prueba de esfuerzo en un laboratorio deportivo de rendimiento equipado con aparatos informatizados que se ajustan al cuerpo obtendría una medición precisa de la capacidad de su cuerpo para repartir el oxígeno durante el máximo esfuerzo de un triatlón. De cualquier modo, ya que este tipo de prueba no está al alcance de todos, puede calcular de forma aproximada su volumen máximo de oxígeno en sangre con el test de Cooper.

Para calcular su $\dot{V}O_2$max con el test de Cooper tiene que completar una carrera de 12 minutos en una distancia medida en metros. Lo ideal sería correr un circuito de 400 metros con señales que marcasen los 100 metros. Corra todos los metros que pueda durante estos 12 minutos y redondee a los 100 metros más próximos. Utilice la siguiente fórmula para calcular su $\dot{V}O_2$max:

$$(\text{Distancia en metros} - 504{,}9) / 44{,}73 = \text{su } \dot{V}O_2\text{max}$$

Para que le ayude a evaluar el nivel actual de su condición física basado en el nivel de $\dot{V}O_2$max, la tabla 1.2 le proporciona los valores medios normativos para dis-

**Tabla 1.2    $\dot{V}O_2$max y nivel de capacidad aeróbica por edad y sexo**

| Edad | Muy bajo | Bajo | Normal | Bueno | Muy bueno | Excelente |
|------|----------|------|--------|-------|-----------|-----------|
| 13-19 | M = <25,0<br>H = <35,0 | M = 25,0 – 30,9<br>H = 35,0 – 38,3 | M = 31,0 – 34,9<br>H = 38,4 – 45,1 | M = 35,0 – 38,9<br>H = 45,2 – 50,9 | M = 39,0 – 41,9<br>H = 51,0 – 55,9 | M = >41,9<br>H = >55,9 |
| 20-29 | M = <23,6<br>H = <33,0 | M = 23,6 – 28,9<br>H = 33,0 – 36,4 | M = 29,0 – 32,9<br>H = 36,5 – 42,4 | M = 33,0 – 36,9<br>H = 42,5 – 46,4 | M = 37,0 – 41,0<br>H = 46,5 – 52,4 | M = >41,0<br>H = >52,4 |
| 30-39 | M = <22,8<br>H = <31,5 | M = 22,8 – 26,9<br>H = 31,5 – 35,4 | M = 27,0 – 31,4<br>H = 35,5 – 40,9 | M = 31,5 – 35,6<br>H = 41,0 – 44,9 | M = 35,7 – 40,0<br>H = 45,0 – 49,4 | M = >40,0<br>H = >49,4 |
| 40-49 | M = <21,0<br>H = <30,2 | M = 21,0 – 24,4<br>H = 30,2 – 33,5 | M = 24,5 – 28,9<br>H = 33,6 – 38,9 | M = 29,0 – 32,8<br>H = 39,0 – 43,7 | M = 32,9 – 36,9<br>H = 43,8 – 48,0 | M = >36,9<br>H = >48,0 |
| 50-59 | M = <20,2<br>H = <26,1 | M = 20,2 – 22,7<br>H = 26,1 – 30,9 | M = 22,8 – 26,9<br>H = 31,0 – 35,7 | M = 27,0 – 31,4<br>H = 35,8 – 40,9 | M = 31,5 – 35,7<br>H = 41,0 – 45,3 | M = >35,7<br>H = >45,3 |
| 60+ | M = <17,5<br>H = <20,5 | M = 17,5 – 20,1<br>H = 20,5 – 26,0 | M = 20,2 – 24,4<br>H = 26,1 – 32,2 | M = 24,5 – 30,2<br>H = 32,3 – 36,4 | M = 30,3 – 31,4<br>H = 36,5 – 44,2 | M = >31,4<br>H = >44,2 |

M = Mujer; H = Hombre

Adaptado, con permiso de The Cooper Institute, 2005, *Physical fitness specialist certification manual* (Dallas, TX: The Cooper Institute).

tintos grupos de edad y los clasifica desde «muy bajo» hasta «excelente». Al comparar su $\dot{V}O_2$max con los valores de esta tabla podrá calcular el punto en el que se encuentra para poder decidir si necesita centrarse en un entrenamiento con ejercicios específicos —en capítulos posteriores— que le ayuden a aumentar la capacidad de su cuerpo para consumir oxígeno de una forma más eficaz.

No importa cuál sea su nivel aeróbico, existen distintas formas para aumentar significativamente el rendimiento del cuerpo con una serie de ejercicios específicos que le ayuden a coger más oxígeno. Con este libro podrá analizar los ejercicios de intervalos y otros ejercicios de intensidad alta y moderada, como los bricks, que le servirán para aumentar el nivel de $\dot{V}O_2$max.

## Test de la tasa de recuperación en 10 minutos

Durante mucho tiempo se ha pensado que tener una frecuencia cardiaca en reposo era el mejor método para medir su forma física. La mayoría de los «luchadores de fin de semana» tienen 60 pulsaciones por minuto, mientras que los ciclistas y los corredores de élite acaban con un ritmo de entre 40 y 30 pulsaciones por minuto. Cuanto menor sea el ritmo cardiaco en mejor condición física se encontrará, ya que un ritmo cardiaco reducido significa que su cuerpo es más eficiente al bombear la sangre. Para saber el ritmo cardiaco en reposo tómese el pulso y cuéntese las pulsaciones por minuto cuando se levante por la mañana —antes de que suene el despertador o de desayunar— o mientras descansa durante al menos 30 minutos.

Esta medición resulta útil para determinar si ha entrenado demasiado, si está en la primera fase de una enfermedad, como la gripe o un resfriado, o simplemente si está muy estresado. No obstante, la frecuencia cardiaca en reposo no siempre es una medida exacta de la capacidad aeróbica —básicamente porque muchas variables pueden alterarla, como el insomnio, la alimentación, una enfermedad, el estrés y otros tantos factores que pueden afectar el sistema cardiovascular—. Otra herramienta todavía más útil para determinar el nivel tri-físico es el ritmo de recuperación durante un ejercicio de intensidad. El ritmo de recuperación es el tiempo que su corazón necesita para recuperarse de un esfuerzo prolongado o de intensidad: cuanto antes se recupere, mejor forma física tendrá. Para determinar su ritmo de recuperación prográmese una carrera a pie o en bici corta pero intensa y siga los siguientes pasos:

1. Con un monitor de frecuencia cardiaca haga ejercicio durante al menos 10 minutos manteniendo la intensidad y el ritmo que pueda llevar durante al menos ese período de tiempo. Puede que este ejercicio sea algo parecido a lo que haría en una carrera de cinco kilómetros o sprint de triatlón.
2. Pare el ejercicio, revise su monitor y memorice en él su ritmo cardiaco.
3. Espere exactamente un minuto y revise de nuevo el monitor de frecuencia cardiaca.
4. Determine cuántas pulsaciones menos tiene durante ese minuto de reposo.

Si su ritmo cardiaco ha descendido 50 o más pulsaciones durante ese minuto, está en unas condiciones cardiovasculares excelentes. Si ha descendido 40 pulsaciones o más, tendrá una forma física normal. Una recuperación de 30 pulsaciones o menos indica una condición cardiaca pobre.

Quizá haya perdido algo de tiempo de la carrera, ciclismo o natación y le gustaría comenzar de forma positiva y fresca. Puede que tanto su $\dot{V}O_2$max y frecuencia de recuperación no sean lo que deberían ser o lo que fueron en el pasado. Lo más importante que tiene que hacer es averiguar el punto dónde se encuentra ahora para poder desarrollar un programa realista basado en los ejercicios realizados y en las estrategias de entrenamiento que se detallan en los próximos capítulos.

## La fuerza en la puesta en forma

¿Por qué es importante el entrenamiento de la fuerza? Mientras que la natación, la carrera a pie y el ciclismo dependen en gran medida de la capacidad de resistencia del corazón, una buena fortaleza muscular garantiza que usted no resulte herido y lleve a cabo esa actividad de una manera eficaz. Aunque los triatletas no deben hipertrofiar el músculo, con un entrenamiento de la fuerza consistente obtendrá muchos beneficios:

- Aumento del índice metabólico.
- Mejor flexibilidad en las articulaciones.
- Aumento de la fuerza, resistencia y potencia.
- Aumento de la densidad ósea y de los tejidos conectivos que rodean las articulaciones.
- Desenvoltura, disciplina, confianza y autoestima mejoradas.
- Menos probabilidades de resultar lesionado.

Si no ha sido constante con el entrenamiento de la fuerza posiblemente falle algo en su entrenamiento triatlón. Puede localizar de muchas maneras las áreas donde flaquea, incluso con los tests normalizados medidores de la fuerza con los que ejercita los grupos de músculos más importantes hasta la extenuación o realiza abdominales, flexiones y cualquier ejercicio de fuerza durante un tiempo máximo (o incluso de una sola repetición). Puede medir sus resultados comparándolos con una tabla para puntuar el total de su fuerza en ese grupo de músculos. Si hace estos tests con un experto en entrenamiento de fuerza podrá averiguar qué músculos o conjunto de músculos debe ejercitar más.

Un entrenador personal puede ponerle una serie de pruebas y determinar los puntos clave que necesite reforzar para mejorar la natación, ciclismo, carrera y fuerza en general. Una alternativa de sentido común sería centrarse en las áreas específicas donde haya tenido dificultades en el pasado por alguna lesión o un escaso rendimiento. Por ejemplo, si tiene problemas para ganar potencia durante un recorrido empinado triatlón en bici, puede incluir en su entrenamiento press de piernas, cargadas y sentadillas. En el caso de haber sufrido alguna lesión de rodilla, fortalecer los ligamentos y los músculos que la rodean con estiramientos de piernas (siempre y cuando se haya recuperado de la lesión) debería formar parte de su programa de entrenamiento.

El triatlón implica muchas fuerzas en distintas partes del cuerpo, lo que lo convierte en el deporte de entrenamiento cruzado por excelencia. Según vaya evaluando su fuerza, asegúrese de crearse un programa de entrenamiento que tenga en cuenta la diferencia de fuerza entre los grupos de músculos de mayor y menor importancia y los músculos del tronco. Planifique su entrenamiento de fuerza para coordinarse con los ejercicios de resistencia de alta intensidad, con el fin de que ninguna parte del cuerpo pague las consecuencias. No practique el press de piernas o las sentadillas un día antes o después de un circuito duro. Alterne los grupos de músculos para que puedan recuperarse entre ejercicio y ejercicio (por ejemplo, trabaje en una sesión la parte inferior del cuerpo y en otra la superior).

## Flexibilidad en la puesta en forma

Como en todo, los triatletas solemos ser un grupo estricto. Si no nos agarramos el tendón de Aquiles de dolor, es probable que nos estemos dando un masaje en los tendones doloridos del recorrido del ejercicio que hicimos ayer. También solemos tener algo de desequilibrio muscular, grandes cuádriceps, flexores de la pierna débiles y desequilibrios dorsales como consecuencia de todas las horas que nos encorvamos con las barras aeróbicas de entrenamiento. Estirarse no sólo ayuda a mantener los músculos relajados, sino que también mejora la alineación del cuerpo y el equilibrio. Irónicamente solemos ser bastante perezosos cuando tenemos que hacer estiramientos. Por ejemplo, rara vez estiro antes de una carrera y sólo de manera ocasional haría unas cuantas flexiones contra la pared o me doblaría hasta tocarme las puntas de los pies después de una carrera que ha hecho que me duelan los músculos.

Sin embargo, últimamente me he dado cuenta de la importancia de los estiramientos según ha ido incrementando el kilometraje de las carreras que he hecho y según acaba la cuenta atrás antes de la próxima temporada de Ironman otoñal. Si a usted le ocurre lo mismo que a mí, preferirá atarse las zapatillas de correr ahora mismo y ponerse en marcha antes de que se ponga el sol. Pero según me he ido haciendo mayor y menos flexible he aprendido precisamente la importancia que puede tener la flexibilidad a la hora de prevenir lesiones y mejorar la salud en general.

La flexibilidad es la capacidad de una articulación para moverse por todo su rango de movimiento. Si tiene problemas para poder ejercitar todo el recorrido de una articulación, o experimenta una sensación de tirantez en una determinada parte del cuerpo, es posible que tenga problemas de flexibilidad y esté al borde de sufrir una lesión deportiva.

Aunque detecte con exactitud alguna necesidad específica de flexibilidad, el estiramiento y los masajes en su programa de entrenamiento triatlón le garantizarán un mejor estado de salud y de condición física (para más información sobre el estiramiento y la importancia de los masajes véase el capítulo 2). Si ha leído libros sobre la carrera a pie o lee habitualmente revistas especializadas o a cualquier otra revista de la misma índole, encontrará mucho material sobre estiramientos. Hay tantas técnicas de estiramiento y ejercicios para atletas de resistencia como bebidas energéticas. No obstante, la mayoría de expertos recomendaban dos métodos de estiramiento:

En el pasado la técnica que recomendaban la mayoría de los terapeutas deportivos era el estiramiento estático. Este tipo de técnica conservadora —tradicionalmente se consideraba segura y eficaz— implica un estiramiento total lento y gradual de todos los rangos de movimiento. Dicho de una forma más simple: consiste en estirar una área determinada hasta alcanzar un ligero punto de molestia y aguantar en ese punto durante un determinado período de tiempo, normalmente de 15 a 30 segundos. Un ejemplo pueden ser las flexiones contra la pared después de una carrera que mantienen la elasticidad de los ligamentos y de las pantorrillas.

El estiramiento favorece el riego sanguíneo, el equilibrio, una correcta postura del cuerpo y ayuda a que se elimine el ácido láctico de los músculos. El estiramiento estático puede ser especialmente beneficioso cuando tenga dolor muscular después de haber hecho un ejercicio y alivia los músculos tensos y sobreejercitados. Este método lento de estiramiento también nos ayuda a relajarnos y a deshacernos del estrés.

Sin embargo, hoy en día muchos triatletas «luchadores de fin de semana» abrazan unos métodos más dinámicos de estiramiento, como el yoga o el pilates, que favorecen la flexibilidad con movimientos activos (pero no hay que forzarlos más de su rango de movimiento). Los estiramientos dinámicos también se pueden hacer en series y repeticiones de ejercicios, como haría por ejemplo en una hora de entrenamiento de fuerza. Estos métodos más dinámicos tienen los beneficios añadidos de mejorar la fuerza y la forma física básica, además de tener un efecto de precalentamiento de los músculos y articulaciones.

La mejor técnica de estiramiento ha sido, y probablemente será siempre, un tema controvertido. Puesto que el beneficio añadido del estiramiento dinámico es el precalentamiento de los músculos, me ha servido de gran ayuda *antes* del entrenamiento y luego me he relajado con el estiramiento estático a modo de recuperación *después* de una dura sesión de ejercicios.

# ELEGIR LA DISTANCIA

La distancia triatlón que elija para alcanzar la meta tendrá un gran impacto en su horario y compromisos familiares durante los próximos meses o incluso el año. Puede que ya tenga una distancia en mente, pero antes de tallarlo en piedra tenga en cuenta los siguientes factores:

• **Límite de tiempo.** A menos que sea económicamente independiente y no tenga familia es posible que tenga compromisos que compitan por su tiempo de entrenamiento triatlón. Sea realista con las horas que pueda dedicar.

• **Limitaciones físicas.** ¿Hay algo que pueda evitar que se comprometa con una distancia de carrera determinada? ¿Tiene lesiones que arrastre del pasado que sean un obstáculo importante cuando corra las largas distancias de una carrera media-Ironman o Ironman? Puede que no haya sido bendecido con el cuerpo del perfecto corredor o quizá tiene problemas para nadar en aguas abiertas durante un tiempo prolongado. No tiene nada de malo nadar una distancia más corta y mejorar sus habilidades, si es que piensa que está limitado de algún modo.

• **Una base sólida.** Si se está planteando entrenarse para una carrera media-Ironman o Ironman, deberá tener una base sólida de otras carreras triatlón de distancia corta o larga en una o más de las tres disciplinas con las que entrene. Aunque muchos principiantes han pasado de sprint a Ironman en un año, lo mejor es progresar de las distancias cortas a los multi eventos triatlón. Si hace esto podrá crearse a lo largo del tiempo una buena base física que le sumará éxitos en los eventos triatlón de largas distancias, cuanto más de una forma segura y gratificante.

• **Ganas.** ¿Qué le dice su corazón sobre la distancia que mejor se adecue a sus necesidades? Sobre todo debería divertirse con esta experiencia triatlética. No abandone por las presiones de sus iguales o por las expectativas que se haya creado cuando eligió una meta. Deje que sea su corazón el que le guíe y elija la distancia con la que usted quiere intentarlo.

Otros factores que únicamente son de su incumbencia pueden desempeñar también un papel sobre la distancia que escoger. Todos estos factores necesitan tener el peso y prioridad apropiados que sólo usted puede debatir. Una vez que haya encontrado la distancia que le rete mientras mantiene una vida equilibrada, podrá encontrar en la tercera parte de este libro muchos programas de ejercicios que le ayudarán a llegar hasta la línea de meta.

## HACER UN CALENDARIO DE TEMPORADA

Crearse un programa con tres o cuatro fases de metas específicas, cada fase de uno a tres meses de duración, es un elemento fundamental del entrenamiento triatlón. Además de establecerse unos objetivos que se irán construyendo sobre sí mismos, tiene sentido cambiar el enfoque de los ejercicios un par de veces al año, ya que su intención es alcanzar cierto nivel de condición física y de habilidad sobre el que se pueda basar. Esta variedad también ayuda a mantener la mente fresca y el cuerpo en activo.

Puede organizar el calendario de su entrenamiento de muchas maneras para alcanzar la meta. De cualquier modo, y como norma general, debe diseñarlo teniendo en cuenta lo siguiente:

1. Empiece con una base de forma física y consolídela.
2. Empiece desarrollando velocidad, redirigiendo sus debilidades específicas de entrenamiento y adquiriendo las habilidades necesarias.

3. Céntrese en el rendimiento y prepárese para las diferentes condiciones meteorológicas e intensidad del encuentro triatlón.
4. Descanse el tiempo que necesite (reducción) justo antes de pisar la línea de salida.

Individualizar su calendario de carreras es parte de la diversión del *planning* triatlón, así que siéntase libre para ser creativo e incluya el tipo de entrenamiento que crea que le aportará beneficios. Por ejemplo, puede que considere el triatlón más como un acto social y le apetezca quizá programarse una carrera de grupo y una temporada de bici para participar y divertirse simplemente en las carreras de cientos de participantes (y que le ayudarán a alcanzar su meta triatlón). En los próximos capítulos obtendrá la información y las herramientas que necesita para crearse un calendario de entrenamiento de temporada que le ayudará a alcanzar sus metas.

Para presentarle la estructura de los programas de ejercicios que le proporcionamos en este libro, le expongo a continuación una breve descripción de las fases de entrenamiento a las que me referiré de vez en cuando:

• **Entrenamiento base.** Considere esta fase como la base en la que se sustente todo lo que haga. Ésta es una etapa de entrenamiento que, si se lleva a cabo correctamente, puede ocuparle varios meses o una temporada completa. Pero los premios a largo plazo son la prevención de lesiones y un mejor rendimiento. También vale la pena apuntar que si su meta es únicamente terminar la carrera, sus ejercicios pueden consistir casi la mayoría de ellos en el entrenamiento base. Muy bien. Siempre y cuando tenga una buena base, el simple hecho de acabar una carrera es una meta realista. El entrenamiento base consiste principalmente en ejercicios de larga duración realizados a un ritmo lento. Se debería centrar en aumentos graduales del kilometraje total no superando el 10 por ciento cada semana, una regla que es de vital importancia para la carrera y que le ayudará a evitar las lesiones comunes del sobreentrenamiento.

• **Velocidad, técnica y habilidades de entrenamiento (VTH).** Éste es un segmento del entrenamiento que le permite empezar a ganar competencia en las áreas de velocidad y técnica. Mejorar la velocidad incluye por lo general trabajo de intervalos o un entrenamiento específicamente diseñado para aumentar el nivel de $\dot{V}O_2$max. El entrenamiento de la técnica y habilidades puede incorporar ejercicios y trabajo de transición. Esta fase también es primordial para poder ejercitar cualquier punto débil. Se construirá una base, pero sobre todo aumentará su resistencia, mientras hace ejercicios que le conducirán a un nivel más alto de estrés corporal como preparación para el máximo rendimiento del entrenamiento.

• **Máximo rendimiento del entrenamiento.** Una vez que haya construido una base sólida, haya trabajado la velocidad y mejorado su técnica y habilidades, el máximo rendimiento del entrenamiento puede conducirle al siguiente nivel. Normalmente es una fase corta de trabajo de alta intensidad totalmente enfocada al rendimiento de sus carreras y salidas. Los bloques (sesiones de dos o más modalidades técnicas) serán cruciales así como otros ejercicios claves que se centran en el rendimiento de la carrera.

• **Reducción.** Ésta debe ser la fase de entrenamiento que más agradezca después del duro trabajo. La reducción se produce tanto en la intensidad como en la duración del ejercicio que se da una o dos semanas antes del encuentro triatlón, dependiendo en la distancia de la carrera. El descenso tanto en el kilometraje como en la distancia durante esta fase garantiza que se encuentre fresco, mental y físicamente, para lograr la meta de la carrera que se acerca. Para más información sobre la reducción, véase el capítulo 3.

# TENER UN DIARIO DE ENTRENAMIENTO

Si un diario no ha sido una de sus prioridades en el entrenamiento, está perdiendo una herramienta esencial que le proporcionará la información recopilatoria que al final necesitará. El diario de entrenamiento le puede ayudar para:

• **Prevenir lesiones.** Algunas veces subestimamos el entrenamiento que hemos hecho. Si analiza los mismos resultados de los ejercicios y su intensidad, podrá planificar correctamente el tiempo de descanso necesario y evitará el sobreentrenamiento que podría lesionarle.

• **Elegir los ejercicios.** ¿Alguna vez ha hecho una buena sesión de ejercicios y se ha preguntado por qué? Desde luego, todos también hemos vivido lo contrario. Los diarios pueden ayudarle a descifrar el enigma de su cuerpo y darle pistas sobre su rendimiento o debilidad. Pueden ayudarle a ver cuál ha sido el mejor momento del día para hacer el ejercicio, qué comer, qué frecuencia cardiaca marcarse como meta, cuántas horas de sueño necesita… Las posibilidades son infinitas.

• **Planificar las sesiones de entrenamiento.** Quizá el mejor uso de un diario es como herramienta de planificación para los entrenamientos posteriores. Al documentar muchas variables importantes, como la intensidad del ejercicio, recorrido, condiciones meteorológicas y aptitud psicológica, será capaz de apreciar el progreso que ha hecho y de planificar correctamente los siguientes meses y semanas. Las páginas del diario al final de este libro se han diseñado para ayudarle a eso y a más. En cada página encontrará muchos campos que se relacionan específicamente con algunos de los métodos de entrenamiento y estrategias que se han descrito en este libro, así como de muchas oportunidades para poder modificar su diario. Con una mina de oro en información al alcance de su mano y anotada de cada ejercicio documentado en su diario será capaz de entrenar de forma eficaz para conseguir su meta.

# CAPÍTULO 2

# Gestión
# del tri-tiempo

C omo cualquier otro compromiso serio, el entrenamiento triatlón requiere que le dedique buena parte de su tiempo. Mientras aumenta la popularidad de los multideportes, también lo hace la demanda de las estrategias de gestión del tiempo y otras maneras prácticas para amoldar el entrenamiento a un estilo de vida ajetreado. De hecho, una de las razones por la que muchas personas activas no practican este deporte se basa en la idea de que el entrenamiento apropiado para terminar un triatlón ocupa demasiado tiempo. Es obvio que entrenar para una prueba Ironman* requiere un compromiso serio de tiempo y energía; sin embargo, la mayoría de los triatlones de categoría sprint piden sólo un poco más de tiempo que el entrenamiento para la típica carrera 10 km de la mañana de los domingos (si se lleva a cabo un régimen de ejercicios de manera inteligente y eficaz).

Tanto si tiene una familia, un trabajo que le exija mucho u otro tipo de limitaciones de tiempo, saber gestionar bien su tiempo puede marcar la diferencia entre avanzar despacio y esprintar hasta la meta. En este capítulo aprenderá no sólo a aprovechar al máximo su tiempo limitado, sino también a ser más flexible, eficiente y estar más equilibrado en lo que respecta a su energía y estilo de vida triatlón. Aunque hacer el mejor uso de su tiempo de entrenamiento es importante, no tiene que olvidar el resto de sus cosas cotidianas.

## HACER TIEMPO

El primer paso para gestionar su tiempo de entrenamiento es determinar con exactitud dónde encajará su horario triatlón. Organizar bloques de tiempo reparti-

---

* Ironman consiste en tres pruebas: 3,8 km de natación, 180 km de ciclismo y 42 km de carrera a pie. *(N. del E.)*

dos para llevar a cabo su entrenamiento no sólo abre claros en su horario, sino que también asienta en su mente el compromiso que haya adquirido.

¿Cuánto tiempo puede recortar de su rutina diaria para entrenar? El tiempo que utilice para entrenar puede variar dependiendo de su meta, fase de entrenamiento y de muchos otros factores. En términos generales, cuanto más larga sea la distancia para la que se entrene, más tiempo deberá reservar para su entrenamiento. Desde luego que el tiempo real que utilice para entrenar la carrera (o para otras actividades relacionadas como ir a la piscina) dependerá de unos factores específicos, como la distancia que tenga que recorrer hasta la piscina, el tipo de recorrido ciclista y el ritmo de la carrera a pie. Puedo hacer algunas generalizaciones sobre las típicas semanas de entrenamiento para varias distancias, que fundamento con mi propia experiencia y la de los triatletas que he entrevistado: entrenar para una distancia sprint requiere que nos comprometamos aproximadamente de ocho a doce horas semanales; para una distancia olímpica, de 10 a 16 horas; para una distancia media-Ironman, de 14 a 25 horas; y para la Ironman, de 20 a 35 horas.

Si ya se ha fijado un horario que pueda modificar sin problemas, repartir el tiempo de entrenamiento puede ser algo muy fácil. Un horario poco flexible y lleno de condiciones difícilmente previsibles puede suponer su mayor reto a la hora de gestionar el tiempo. No importa cómo sea su ritmo de vida, con estas claves se asegurará el tiempo que necesita para entrenar como es debido:

• **Priorice.** Tiene 168 horas a la semana, pero si les resta siete horas de sueño diarias, probablemente le queden todavía 119 horas repartidas entre diferentes actividades. Es decir, no se engañe al pensar que de alguna manera, por arte de magia, tendrá más tiempo disponible del que tiene ahora sin hacer ningún sacrificio. Si se fija unas prioridades y otras responsabilidades, posiblemente tenga que sacrificar alguna actividad de ocio, como el tiempo que dedica a ver la tele o para acurrucarse en el sofá y leer su libro preferido.

• **Duerma el tiempo que necesite.** Mientras duerme profundamente, el cuerpo se repara del duro entrenamiento al segregar la hormona de crecimiento, una de las hormonas anabólicas necesarias para reparar el tejido muscular (más del 50% del cuerpo es tejido muscular). Entrenar duro provoca mini desgarros que necesitan repararse, y si no se duerme lo debido el cuerpo no segregará la suficiente cantidad de hormona para que los músculos cicatricen como lo harían normalmente. Un entrenamiento continuado sin el número de horas necesarias de sueño lo único que le acarreará será incapacidad para recuperarse. En pocas palabras, necesita tener un sueño profundo, si no quiere entrenar de manera contraproducente.

• **Tenga en cuenta el desplazamiento al lugar de entrenamiento, la preparación y los ejercicios para después del entrenamiento.** Cuando organice los bloques de tiempo en su horario semanal, tenga en cuenta todo el tiempo que necesitará para cada tarea, además del ejercicio que haga. Por ejemplo, tiene que darse el tiempo necesario para ir y volver de la piscina, para poner a punto la bici antes de la carrera e incluso tiempo para completar el recorrido de una carrera a pie sin traspasar el límite de intensidad y ritmo que se hubiera marcado anteriormente. Si su entrenamiento tuviera lugar antes del trabajo o durante la hora de comer, tendrá que ser extremadamente cuidadoso para reservar un amplio espacio de tiempo.

- **Sea realista.** Lo peor que puede hacer es imponerse un horario semanal de entrenamiento que le provoque demasiado estrés a usted y a sus seres queridos o que ponga en peligro su trabajo o carrera profesional. Respire hondo varias veces, dé un paso atrás y pregúntese: ¿es esto ser realista? Si se da cuenta de que otros aspectos importantes de su vida empeoran —como vida sentimental, tiempo que está con sus hijos, oportunidades profesionales— es posible que no esté siendo realista con el tiempo que ha concedido a su entrenamiento.

# HORARIO FLEXIBLE

Aunque soy un gran *fan* de la planificación y ejecución de una actividad, hay algo que realmente tengo que decir para que se lleve a cabo de palabra, en especial cuando viene de un recipiente tan impredecible como es el cuerpo humano. Puede que se sienta usted extraordinariamente bien con un determinado recorrido en bici y decida aumentar el ritmo o ir más lejos; siempre y cuando se ajuste cualquier otro entrenamiento para parar y recuperarse, no hay absolutamente nada de malo en modificar algo de improviso. Y lo mismo ocurre si tiene un horario que no está fijado: planificar el tiempo de su entrenamiento sobre una base flexible puede que le funcione mejor siempre que sea disciplinado para asegurarse que realiza esos ejercicios con regularidad.

El mantra de la flexibilidad es escuchar al cuerpo. Cuando su cuerpo diga «ya me he recuperado y estoy listo para correr», entonces ahí que va usted. Pero cuando sus piernas se quejen «no puedo más», una mente flexible no fuerza al cuerpo más allá de sus posibilidades. Lo mejor es que se tome un día libre o que busque una alternativa a la actividad de entrenamiento cruzado para planificar sus ejercicios diarios.

Ser flexible en el entrenamiento siempre le funcionará mejor si tiene en perspectiva una meta específica o una serie de metas triatlón que le mantengan en el camino adecuado. Por tanto, ¿cómo le ayuda el ser flexible a alcanzar su meta? La mejor forma que tengo para responder a esta pregunta es comparando el entrenamiento con un piloto aéreo en ruta que guía el avión hasta llegar al destino. Un buen piloto utiliza constantemente la mayoría del tiempo para ajustar la velocidad del avión, altitud y dirección que le haga llegar a un destino seguro y de la manera más rápida. Pero mientras hace todo eso, el piloto también tiene en cuenta variables impredecibles, como los cambios en la dirección del viento, el clima y otros factores terrestres que le obligan a modificar su programa de vuelo.

Muy parecido a un piloto, el triatleta inteligente que busca la flexibilidad tiene pensado tanto el plan de vuelo como el conocimiento que necesita para moldear su entrenamiento según surjan las necesidades. Ser flexible supone ser una persona disciplinada y comprometida que distinga entre las molestias del ácido láctico y la pereza. A continuación, los siguientes consejos le ayudarán a seguir este método fácil sin perder la concentración:

- Planifique a principios de la semana el entrenamiento y utilice el formato del programa semanal de la página 138. La programación semanal del entrenamiento es vital.
- Decida cuáles van a ser sus ejercicios claves y cómo va a incorporar la frecuencia cardiaca y la regla 80/20 que veremos en los capítulos 5, 6 y 7. Si su horario no es fijo o impredecible, propóngase estos ejercicios como metas semanales y llévelos a cabo «sobre el aire», pero no olvide ser disciplinado a la hora de asegurarse que completa a finales del fin de semana el entrenamiento anteriormente establecido.
- Entrene con gente que tenga metas similares.
- Preste especial atención a las señales de lesión o sobreentrenamiento que le muestre su cuerpo y modifique el entrenamiento teniéndolo en cuenta. Vaya a la página 46 para descubrir otras señales propias del cuerpo que anuncien una posible lesión.

Nota importante: Puede que un horario flexible no esté disponible para todo el mundo. Si usted es el tipo de persona que prefiere seguir a rajatabla su horario de entrenamiento porque la rutina le ayuda a estar centrado y a mantenerse en la dirección correcta, puede que esta propuesta no sea la adecuada en su caso. Cumplir un horario flexible puede que tampoco sea lo mejor para los recién llegados a este deporte. El éxito para ser flexible depende en gran medida del conocimiento que tenga sobre lo que le funciona y lo que no (basado en su anterior experiencia); así pues, como triatleta novato lo mejor será que se adhiera estrictamente a un plan de entrenamiento basado en la experiencia.

# ESTILO DE VIDA SALUDABLE

¿Qué tiene que ver un estilo de vida más saludable con la gestión del tiempo? Según se va haciendo mayor y va ganando más experiencia tanto en la vida como en el triatlón, se dará cuenta de que las distintas elecciones que haga en su vida diaria y que aparentemente parecen no estar relacionadas pueden repercutir como efectos beneficiosos o perjudiciales para su cuerpo, y que al final tendrán las mismas consecuencias en la gestión de su tiempo. Por ejemplo, el haber elegido una dieta pobre en nutrientes le afectará con el tiempo sintiéndose bajo de energía y ralentizándole probablemente más de lo normal en las largas marchas en bici, tirando así su horario por la borda. La falta de sueño tiene el mismo efecto en los ejercicios como en el resto de su rendimiento. Resumiendo, lo que elija dentro de su estilo de vida ejercerá un gran impacto en su habilidad para gestionar el tiempo de entrenamiento triatlón. En el próximo apartado veremos algunas de esas elecciones de estilo de vida que posiblemente repercutan en su entrenamiento, como la nutrición, los masajes y otras terapias que pueden ayudarle a ser un triatleta más sano y con mejor forma física.

# Tri-nutrición

El tema de la nutrición puede ser algo confuso y complejo, y más ahora que las nuevas investigaciones, constantemente vigiladas por los medios de comunicación y algunas veces influidas por los patrocinadores corporativos, cambian rápidamente el concepto que se tiene de ella. Así pues, las cosas pueden complicarse, en especial cuando consideramos que la nutrición no deportiva y la deportiva constituyen un mercado que mueve miles de millones de dólares en las empresas alimentarias.

Posiblemente esté familiarizado con los tres nutrientes que nos aportan los alimentos: carbohidratos, proteínas y grasas. Cada nutriente desempeña un papel fundamental para el buen funcionamiento del cuerpo, y la cantidad idónea de cada uno de ellos le ayudará a dar lo mejor de sí.

## *Carbohidratos*

La mayoría de los atletas saben que los carbohidratos son la fuente de energía más importante, aunque la menos abundante. El cuerpo quema los carbohidratos mejor que las proteínas o las grasas. La energía obtenida de los carbohidratos se puede liberar cuando ejercitamos los músculos hasta tres veces tan rápido como la energía procedente de las grasas.

Por regla general, se ha asumido que las calorías en la dieta de un triatleta deberían proceder del 60 al 70 por ciento de los carbohidratos. El arroz, pasta, pan, cereales, fruta, guisantes y judías deshidratados, patatas, verduras y el pan integral son ejemplos de alimentos con un alto contenido en carbohidratos compuestos. La mayor parte de las dietas de los atletas debería basarse en la fruta, los cereales integrales y las verduras.

## *Proteínas*

La principal función de las proteínas es construir y reparar los tejidos del cuerpo, como los músculos, ligamentos y tendones. Este nutriente también cumple una función en la producción de enzimas y hormonas, regulando, por tanto, el organismo. Están compuestas por unas unidades llamadas aminoácidos. Hay 20 aminoácidos, de los cuales 11 son producidos en nuestro cuerpo. Los otros nueve son aminoácidos esenciales que debemos ingerir con los alimentos. Si no consume la cantidad necesaria de aminoácidos, la capacidad de su cuerpo para producir ciertas proteínas se verá afectada, y su salud y rendimiento podrían resultar perjudicados.

Según estudios recientes, los atletas de resistencia parecen necesitar más proteínas que una persona normal. Sin embargo, la mayoría de los estadounidenses ingieren más de las que necesitan. Para asegurarse de que mantienen equilibrado el consumo necesario de carbohidratos con las proteínas necesarias, los atletas de resistencia deben mantener una proporción 4:1 (Endurance Research Board, 2004)[1]. El tipo de

---

[1] El Consejo de Investigación en Deportes de Resistencia (ERB, por sus siglas en inglés) ofrece un amplio estudio de la nutrición más innovadora y permanente en los deportes de resistencia. El ERB está compuesto por un equipo de científicos, que son además apasionados ciclistas, triatletas y esquiadores nórdicos.

ejercicio que usted lleve a cabo puede afectar también a la pérdida de aminoácidos y demandar más proteínas. Los ejercicios de resistencia aumentan la oxidación de los aminoácidos (descomposición) y la pérdida de proteínas y la síntesis muscular; por ello, tanto en los ejercicios de entrenamiento de fuerza como en los cardiovasculares las necesidades proteicas en los atletas son más altas.

## Grasas

Las grasas proporcionan una especie de energía acumulada, contribuyen a mantener una piel saludable y son parte de la estructura de muchas hormonas y membranas celulares. Son también una fuente de vitaminas solubles en grasa (vitamina A, D, E y K). Ingiera alimentos con grasas animales naturales (no artificiales) o vegetales, a pesar de que podamos elegir entre una gran cantidad de grasas saturadas con bajo valor energético. Ingerir carnes magras y sin grasa o los productos de consumo diario bajos en grasas, y limitar la ingesta de mantequilla, margarina, aliño de ensalada, salsa de nata y fritos le ayudará a cumplir este objetivo.

La mayoría de los nutricionistas fomentan la reducción del consumo de grasas en la dieta norteamericana: del 37 hasta el 40 por ciento de las calorías totales habituales procedentes de las grasas en el estadounidense medio hasta menos del 30 por ciento, según recomiendan las nuevas directrices de la Dirección Federal de Fármacos y Alimentos de los EE. UU. (FDA) en las etiquetas de los alimentos. Como atleta o persona activa puede incluso pensar usted en reconsiderar la reducción de las comidas con grasas hasta aproximadamente el 20 por ciento de su ingesta calórica.

### Tri-nutrición en la carrera

Si es un poco previsor, seguirá una dieta equilibrada que repercuta positivamente en su nivel de energía y eficiencia en el entrenamiento. Lo mejor que puede hacer para asegurarse de que combina equilibradamente los carbohidratos, proteínas y grasas en su dieta es almacenar en la despensa mucha fruta, verdura, cereales integrales y otros alimentos saludables. En el caso de tener un estilo de vida ajetreado que requiera que nos alimentemos de camino a alguna parte, lleve siempre consigo algo rápido para comer, que se componga de cereales bajos en grasas y barritas de fruta, como tortas de arroz, barritas de higos y fruta deshidratada. Las barritas energéticas que contienen principalmente carbohidratos primarios compuestos, una cantidad moderada de proteínas y bajo porcentaje en grasas son también una buena opción para los que escasean de tiempo.

## Tri-hidratación

¿Cuánta agua bebe a lo largo del día? Beber mucha agua favorece el buen funcionamiento de los músculos, articulaciones y otros sistemas importantes del cuerpo. Más del 50 por ciento del peso corporal es agua, lo que la hace imprescindible para la supervivencia. Es especialmente importante hidratarse después del entrenamiento

*Hidratarse e ingerir los nutrientes que necesita mejorará la eficacia de su cuerpo durante la carrera ciclista.*

y durante los días siguientes a una sesión de ejercicios bastante exhaustiva. Por cada 55 gramos del peso corporal que ha perdido con el sudor necesita reponer unos 700 ml de líquido. Todas las veces que me he esforzado para beber una gran cantidad de agua al día, el nivel de mi energía total ha mejorado y la flexibilidad de mis articulaciones ha parecido aumentar. Un estilo de vida saludable es elegir ser un auténtico bebedor de agua, no sólo en la bici o durante una carrera, sino durante todo el día. A continuación verá algunos de los beneficios que tiene hidratarse y que le animarán a tener un botellín de agua sobre la mesa, en el coche, y siempre a mano:

- El agua ayuda al sistema circulatorio porque constituye la base de la sangre: cuanto mayor sea el contenido de agua en sangre, mayor será el volumen de ésta y mejor funcionará el sistema circulatorio.
- El agua es la base de los jugos gástricos, y cuanto mayor sea la cantidad de estos fluidos en las paredes del estómago, mejor digerirá las comidas.
- El agua ayuda a mantener lubricadas las articulaciones, porque el cartílago que facilita el movimiento se compone principalmente de agua.
- Una persona normal pierde de dos a tres litros aproximadamente de agua al día al orinar, sudar y por las deposiciones. Un triatleta perderá mucha más cantidad de agua por el elevado nivel de actividad que realiza.

La mayoría de las autoridades y organizaciones sanitarias recomiendan beber de seis a ocho vasos de 240 ml de agua al día. Son muchos los factores que determinan la cantidad de agua que quiera consumir a lo largo del día, siendo uno de los más importantes la cantidad de peso que pierde con el sudor durante la ejecución de sus ejercicios. Debe hidratarse con regularidad —antes, durante y después del ejercicio— para recuperarse y por su salud en general.

## Terapia con masajes

Reservar el tiempo necesario para incorporar masajes en su vida diaria es otra de las cosas con la que puede mejorar su capacidad de gestionar el tiempo. Garantizado. A primera vista puede parecer que hay más actividades que rellenan su horario más rápido. Sin embargo, utilizar el tiempo necesario para programarse masajes le ayudará a recuperarse antes y a rendir mejor, siendo más eficaz y estando más conectado a su entrenamiento triatlón. Tanto si se programa un masaje una vez a la semana o una vez al mes, verá que la flexibilidad extrema y los beneficios del rendimiento serán más positivos que la hora o dos que invierta en el masaje.

Durante muchos años hasta hoy en día los atletas profesionales de resistencia, como los ciclistas del Tour de Francia que deben recuperarse rápidamente entre etapa y etapa, han abrazado la terapia de los masajes como imprescindible dentro de su arsenal de herramientas para el entrenamiento. Esto es así porque ejercitar los músculos con fuerza provoca minidesgarros en la fibra muscular y en la acumulación del ácido láctico. Estas condiciones pueden causar adherencias, que se pueden manifestar en tirantez, dolor y desequilibrio muscular. El masaje puede descomponer estas adherencias y hacer salir las toxinas que las componen haciendo que los músculos sean más proclives a recuperarse más rápido.

La terapia de masaje presenta los siguientes beneficios:

- Fortalece el sistema inmunológico y aumenta las defensas.
- Mejora la circulación y los tejidos se hacen más flexibles.
- Libera el estrés y relaja.

¿Cada cuánto tiempo debe darse un masaje? Lo ideal sería, si entrena duro durante cinco o seis días a la semana, una sesión con un terapeuta deportivo de una hora cada una o dos semanas. No obstante, si anda justo de dinero o de tiempo, hágalo por lo menos una vez al mes y complemente la sesión dándose usted mismo los masajes siempre que pueda.

# GASTO DE LA ENERGÍA EFICAZ

Aprovechar al máximo el tiempo dependerá enormemente en su capacidad para utilizar de manera inteligente la cantidad de energía limitada que tenga. Y sí que hay un límite. La mayoría de nosotros no pensamos en la energía que tenemos (corporal, mental y espiritual) como limitada, pero si alguna vez se ha sentido completamente exhausto después de haber discutido con su cónyuge como si hubiera completado un recorrido en bici de 160 kilómetros, entonces sabe que su suministro limitado de energía puede reducirse de muchas maneras.

Una buena gestión del tiempo en el entrenamiento triatlón tiene tanto que ver con las decisiones sensatas que tome para aumentar su energía, como con las cuadrículas de su programa semanal o su calendario de entrenamiento de seis semanas. Estos consejos le servirán para comprobar que maximiza su nivel de energía.

- **Prográmese unos días de entrenamiento suave con ejercicios prolongados o intensivos.** Obviamente ciertos ejercicios sacarán más de usted que otros. Si está entrenando para una distancia media-Ironman o Ironman, puede hacer alguna carrera de larga distancia a pie o en bici que puede poner en un serio aprieto su nivel de energía los días posteriores a las sesiones de ejercicios prolongados, aunque los ejercicios de intervalos cortos y otros entrenamientos con un alto gasto de energía le dejan por los suelos en un día o dos. Cuando haga su programa semanal, planifíquese un ejercicio suave o un día libre para después de su distancia más larga o para trabajar la velocidad en el entrenamiento. Repita los mismos ejercicios el día o días posteriores a la carrera, dependiendo de la energía que haya consumido. Si realiza duros ejercicios ininterrumpidamente lo único que le ocasionará serán lesiones y agotamiento.

- **Cuídese del síndrome post entrenamiento extenuante.** ¿Alguna vez se ha sentido inusitadamente irritado, fatigado o malhumorado el día después de una carrera a pie de 30 km o de un recorrido en bici de 160 km? Es normal, su cuerpo ha sido puesto a prueba hasta el límite y el desgaste físico es evidente. Pero de lo que puede no darse cuenta es de cómo los desequilibrios hormonales temporales y otros efectos fisiológicos resultantes de un ejercicio intenso o de una distancia larga puede afectar al humor, al comportamiento y a su disposición en general. Lo he vivido muchas veces y a menudo me he preguntado por el modo en que me comportaba y ese extraño humor agrio de los lunes, que normalmente era el día que descansaba después de un fin de semana donde hacía distancia larga en la calle y en los carriles para corredores. Poco a poco me di cuenta de que mi estado mental era resultado de un duro entrenamiento de fin de semana, y finalmente acabé por apodar este fenómeno como «el síndrome post entrenamiento extenuante». Mis amigos y mis seres queridos saben que tienen que tener cuidado de mi ogro interior y normalmente me perdonan cuando estoy de mal humor.

Si está usted experimentando algo parecido, intente pensar en el síndrome post entrenamiento extenuante sin llenar su calendario de eventos sociales demasiado complicados u otras actividades que puedan activar el botón del malhumor durante el día o días después de una serie de duro entrenamiento. Retrase cualquier obligación que le exija demasiado o los eventos que le estresen para que su cuerpo esté más equilibrado y tenga mejor humor.

- **Programe sus ejercicios en tiempos de máxima energía.** Algunas veces simplemente tiene que entrenar dentro de un tiempo determinado. El trabajo o las obligaciones familiares le exigen que se ajuste al único huequillo de tiempo que le queda al día, puede que por la mañana, después del trabajo o en esas horas que le quedan por la noche. Si es posible, planifique sus ejercicios para el momento del día que sepa que su nivel de energía esté al máximo. Si sigue estos pasos, aumentará la constancia de su rendimiento, conseguirá esforzarse mejor y consolidará su técnica.

- **Programe sus ejercicios para aumentar la energía.** Algunas veces lo mejor que puede hacer es justamente lo contrario a lo anterior. Si hace una carrera por la mañana temprano o natación a la hora de comer durante el trocito de tranquilidad que le queda, obtendrá la energía suficiente para hacer frente a las obligaciones del trabajo o de la familia, entonces, en su caso es lo que mejor le funciona. Sin embargo, es muy importante ser disciplinado. Es posible que una vez que salga por la puerta o se meta en la piscina, aumente su nivel de energía. Pero no olvide seguir una buena técnica (sobre todo en la piscina) si empieza muy despacio.

- **Reconozca cuándo no tiene que entrenar.** Como veremos en el próximo capítulo, descansar es un elemento tan importante del horario de entrenamiento como los ejercicios. En cuanto a la gestión de su energía, debe tener también en cuenta que hay muchas circunstancias diferentes en las que entrenar no es una buena idea. Una enfermedad, lesión, estrés agudo, crisis familiar, importantes obligaciones y una larga lista de otras razones excepcionales de su vida y circunstancias justifican el poder saltarse los ejercicios. Reconocer estas razones de peso, aceptarlas y pasar al próximo ejercicio son pasos imprescindibles que necesita dar en orden para mantener su nivel de energía constante durante toda la temporada de entrenamiento.

# CAPÍTULO 3

# Plan general de entrenamiento

La comodidad es algo curioso. De una manera u otra todos buscamos sentirnos cómodos al realizar alguna actividad. Y aún cuando alcanzamos un cierto nivel de comodidad, puede que descubramos que nuestras vidas están un tanto limitadas e incluso que son poco estimulantes. Algunas veces estar en una zona de comodidad ilusoria puede estancarnos y desmotivarnos. Los retos son lo que todos necesitamos, tanto si es sobrevivir a una carrera triatlón de natación, machacarse con la bici o terminar nuestro primer recorrido Ironman.

¿Está cómodamente asentado con su entrenamiento triatlón y por ello ve limitadas sus posibilidades? Quizás sea un reto el impulso que necesita para salir de la rutina y conseguir la mejor sesión de entrenamiento de la temporada.

Cuando entrené y acabé mi primera carrera Ironman, me di cuenta de que aumentó la percepción que tenía de lo que podía ser capaz. Al principio me asqueaba la idea de hacer un recorrido en bici de más de 160 km, pero después de haber completado una distancia triatlón de 190 km y de darme cuenta de que todavía me mantenía en pie, de repente los siguientes recorridos en bici ya no me intimidaban. Tras completar esta carrera he empezado a pensar en los triatlones y maratones que anteriormente creí tan desafiantes.

Todos nos encasillamos: nos ponemos en pequeñas cajitas con limitaciones bien definidas. Según va pasando el tiempo, las paredes de estas cajitas nos van encerrando y la percepción de nuestras propias limitaciones va disminuyendo. Si se ve envuelto en una zona de comodidad y limitado dentro de su propia cajita, considere la posibilidad de aumentar sus horizontes cuando planifique su programa general de entrenamiento. Ahora mismo no tiene que comprometerse con algo, véalo como un ejercicio para la imaginación. Deje que un reto o unas metas determinados —algo que no haya pensado hacer— vayan cuajando poquito a poco en su cabeza; pero si esa idea no va más allá, probablemente no dé resultado hasta que se siente y empiece a planificar su plan general de entrenamiento.

En este capítulo veremos los pasos más importantes que tiene que dar y las estrategias de planificación que va a necesitar para programarse un plan general de entrenamiento triatlón. Veremos también algunas maneras de planificar el entrenamiento teniendo en cuenta la salud y para evitar descarrilarnos por culpa de las lesiones.

# METAS SEMANALES DEL ENTRENAMIENTO

Una de las herramientas clave que le proporcionamos en este libro es la hoja de programa semanal de entrenamiento que encontrará en la página 146. Planificar y establecerse una serie de metas a la semana es un concepto fundamental para el éxito del entrenamiento triatlón (y para otros aspectos de la vida diaria). No importa el tiempo que utilice para entrenar, tener unas metas semanales le mantendrá centrado y en el camino correcto.

Mientras repasa algunos de los ejercicios y se esfuerza para crear su propio programa en los próximos capítulos, obviamente verá que se repiten algunas metas y objetivos que serán iguales cada semana. El tema está en comprometerse con una meta específica cada semana. Los siguientes consejos le ayudarán a establecerse unas metas semanales.

• **Reserve algo de tiempo las tardes de los domingos.** Siempre y cuando no tenga otras obligaciones familiares importantes, la tarde del domingo suele ser la ideal para pensar y planificar las metas de la semana. Resérvese 30 minutos para revisar un diario de entrenamiento, estudiar su calendario y determinar las metas en que necesite centrarse más la semana entrante.

• **Primero céntrese en lo básico.** Sus metas semanales deben ser totalmente individuales. Si está atravesando un momento apático de motivación y necesita concentrarse en algo para seguir delante, o si quiere recuperarse de lo que le impide entrenar de manera constante, establecer una meta es una gran idea para superar un obstáculo a corto plazo. Por ejemplo, puede que necesite levantarse un hora antes tres veces a la semana para que sus ejercicios de natación cuadren en el horario, pero hasta que levantarse antes llegue a ser una costumbre, la meta que tiene que ponerse para las primeras semanas de entrenamiento debe ser básicamente cumplir este propósito.

• **Céntrese para conseguir el *mayor beneficio*.** Mientras planifica sus metas de entrenamiento para la semana, reflexione sobre las que le proporcionen el *mayor beneficio*. Hágase una pregunta muy sencilla: ¿qué ha hecho esta semana que le proporcione el mayor beneficio en su fase de entrenamiento triatlón? Esta simple pregunta nos guiará hasta la meta apropiada de la semana, a determinarlas sin ningún esfuerzo.

# PUNTOS DE REFERENCIA

Aunque las metas a corto plazo (como las metas semanales) nos mantienen en el camino apropiado y las metas a largo plazo (como el evento de la carrera) es nuestra motivación más importante, los puntos intermedios de referencia y los peldaños que constituyen ese camino pueden a su vez resultar muy útiles. Los puntos de referencia se deben construir uno sobre otro, como los travesaños de una escalera, para llevarle a la meta final.

Los puntos de referencia desempeñan la misma función que las listas de control de las tareas realizadas y garantizan que todo el trabajo que realiza le lleva donde quiere ir en su odisea triatlón. Por ejemplo, cuando me entrenaba para una carrera Ironman, las referencias que me impuse fue completar una serie de carreras Ironman en mi ciudad que quería terminar en un tiempo determinado (como corredor del pelotón de la carrera, solía ser menos de seis horas). También corrí algunos kilómetros extras después de varias de estas carreras para así empezar a mentalizarme de las distancias más largas después de un esfuerzo agotador. Estas carreras me servían como buenos puntos de referencia bien definidos y las pequeñas carreras que hacía después de las Ironman eran elementos que me proporcionaban confianza y me confirmaban que tenía la resistencia física y mental que necesitaba para la distancia Ironman.

Los puntos de referencia se diferencian de las metas a largo plazo en que son indicadores rigurosos del progreso que se hace durante el tiempo que se tarda en alcanzar la meta principal. Mientras sus metas pueden estar o no basadas en el rendimiento, un punto de referencia siempre debe tener algún elemento de medición, incluso si lo único que hay que hacer es completar un ejercicio o carrera determinada; en caso contrario, ¿cómo podría saber que la ha alcanzado? Los puntos de referencia deben cumplir muchos criterios para ser metas eficaces en su programa de entrenamiento triatlón. Las siguientes directrices le ayudarán a empezar en la dirección correcta.

- **Separe los puntos de referencia.** Planifique siempre sus puntos de referencia teniendo en cuenta su plan general de entrenamiento para disponer de un amplio período de tiempo y completarlos. Por regla general, y dependiendo de la duración de su horario de entrenamiento, planifique siempre estos mini logros con varios meses de antelación, aunque puede parecerle que la mayoría de ellos irían mejor al final de la temporada del entrenamiento. Asegúrese de resaltarlos y marcarlos con un círculo en su calendario de entrenamiento como pista visual. Haga uso de la tabla 12.2 de la página 145 para poder anotar sus puntos de referencia con una lluvia de ideas.

- **Establezca unos puntos de referencia sensatos.** Los puntos de referencia deben indicar el progreso constante hacia su meta a largo plazo. Puede que tenga sólo dos o tres puntos de referencia en un plan general de entrenamiento, pero no deje que sean superficiales o menos importantes, deles el peso y la importancia apropiados para que su objetivo sea llegar hasta la línea que se haya puesto como reto.

• **Haga que los puntos de referencia se puedan medir.** Tanto si su objetivo es completar una carrera determinada o el tiempo del recorrido del entrenamiento, es necesario que mida de alguna manera cada punto de referencia. El elemento de medición puede ser simplemente terminar una carrera a pie de 30 km, una marcha en bici de 95 km o hacer 1.600 metros sin parar en la piscina. El querer completar un período de tiempo determinado o finalizar el recorrido le asegura el modo de poder medir su éxito.

# CÓMO EVITAR POSIBLES LESIONES

La clave más importante para evitar lesionarse en la teoría es realmente bastante simple, pero mucho, mucho más difícil en la práctica: alta adaptabilidad. ¿Qué quiere decir? En cada fase del entrenamiento la adaptabilidad es estar receptivo a las señales que su cuerpo le proporciona a la hora de tener que hacer modificaciones rápidas y oportunas ante las puertas de una lesión de su odisea triatlón (desde la planificación al entrenamiento, y del entrenamiento a la carrera).

Cuando cree su plan de entrenamiento es vital que lo planifique y ejecute con mano dura. Todos han oído que los mejores conductores son los que conducen a la defensiva, con conciencia y medios para reconocer un comportamiento peligroso ante el volante. Si quiere proteger su cuerpo y evitar sufrir alguna lesión, planificar su entrenamiento triatlón con el mismo tipo de conciencia protectora es lo mejor que puede hacer para su propio beneficio.

Cuando se siente a planificar su horario, haga caso a sus instintos, le pueden estar diciendo que se está sobrecargando con su plan de trabajo, lo que puede colapsar su cuerpo. Aparte de escuchar sus instintos, utilice los siguientes consejos para planificar un entrenamiento que le proteja de sí mismo:

• **Planifique con cuidado la carrera pedestre.** A menos que sea uno de los pocos triatletas bendecidos con el cuerpo del perfecto corredor, de complexión perfecta y de técnica casi inmejorable, correr es la actividad (de las tres disciplinas) con mayor probabilidad de provocarle alguna lesión. Un estudio de la Universidad de Staffordshire (Gran Bretaña) observó durante cinco años a 116 triatletas con diferentes capacidades en el entrenamiento —desde el triatleta de élite al «luchador de fin de semana»— y mostró que del 58 al 64 por ciento de todas las lesiones causadas por un sobreabuso del entrenamiento eran resultado de la carrera (Vleck y Garbutt, 1998). Tenga mucho cuidado cuando aumente bruscamente la distancia o la intensidad, sin dar al cuerpo la oportunidad de adaptarse. Planifíquese siempre un ejercicio suave después de una carrera de alta intensidad o de larga distancia y nunca aumente cada semana la distancia total de la carrera más del 10 por ciento.

• **Acompáñese siempre de la seguridad.** Puede que existan muchos puntos críticos en su entrenamiento que le hagan sentir que un determinado ejercicio fuerza sus posibilidades o que la capacidad de su cuerpo para terminar esa distancia extra o ese recorrido empinado en bici sin ningún percance es un tanto sospechosa.

*Planificar detenidamente la carrera le ayudará a evitar demasiadas lesiones y le conducirá hasta la meta.*

Aunque puede asumir algún riesgo, no hay nada de malo en hacerlo de forma segura aunque tengamos que reducir la intensidad o la distancia (o las dos) de estos ejercicios tan exigentes. Si su instinto le dice que puede estar al borde de la fina línea que separa el mejor rendimiento de la lesión, escoja el camino de la prudencia y haga los cambios de entrenamiento necesarios. Cuando se siente a planificar o revisar el próximo entrenamiento, recorte algo la distancia, reduzca la intensidad o reconsidere un recorrido más fácil si cree que su cuerpo puede estar al borde de un colapso.

• **Evite el síndrome de supermán.** Cualquier persona que haya tenido alguna vez alguna lesión deportiva es posible que acierte con el ejercicio específico o los esfuerzos que realizó en un corto espacio de tiempo que lo causó. A menos que algún trauma hubiera causado esa lesión —por ejemplo, una caída traumática de la bici o el mordisco de un perro en una carrera pedestre—, la causa principal de la lesión suele ser el sobreabuso que claramente podemos ubicar en el diario de entrenamiento. Así que si es tan fácil registrar una lesión en el diario, ¿por qué es tan difícil evitarla? Parte de la respuesta es que nos hemos apegado muchísimo más a nuestro entrenamiento que a la imagen que tenemos de nosotros mismos, y por tanto nuestro ego se ve envuelto en todas estas circunstancias haciendo que sea difícil aceptar las señales obvias de aviso de nuestro cuerpo. Este fenómeno conocido como la mentalidad de supermán puede hacerle creer que un ejercicio más o una serie extra de más metros en la piscina no le hará ningún daño. Ésta es la razón por la que revisar los datos de los meses y semanas anteriores de cada ejercicio que apuntamos en nuestro diario de entrenamiento es tan importante (le mantiene con los pies en la tierra de su entrenamiento). Revisar el diario de entrenamiento le da un testimonio muy valioso sobre la inminente lesión, y le concede la oportunidad para reducir el entrenamiento, permitiendo que el cuerpo tenga la oportunidad de recuperarse de cualquier daño en el tejido muscular acumulado durante varias semanas de duro entrenamiento.

Durante los períodos de máximo rendimiento en el entrenamiento, tómese algo de tiempo para respirar profundamente (literalmente hablando), dar un paso atrás y revisar su entrenamiento desde un punto de vista objetivo para reconocer mejor las advertencias de su cuerpo, hacer las modificaciones necesarias en su plan de trabajo y evitar lesiones.

# DÍAS DE DESCANSO

Descansar en tan importante como entrenar, pero ¿le resulta difícil asumirlo? Si ese es su caso, piense en los beneficios del entrenamiento que al final se materializan en su cuerpo cuando descanse. Es un hecho que los deportes de resistencia son muy estresantes para el cuerpo. Cada vez que emprendemos una carrera difícil, subimos una colina en bici y nadamos uno y otro largo en la piscina, sobrecargamos nuestros músculos, ligamentos y tendones. Desde un punto de vista fisiológico, las células se dañan con los desgarros de sus membranas. Es decir, que hacer kilómetros y metros supone una gran paliza para el cuerpo y sólo durante la fase de recuperación después del entrenamiento estos mini desgarros se reparan, y en última instancia los fortalece.

La tensión del sobreentrenamiento afecta a un determinado número de órganos y sistemas de nuestro cuerpo, pudiendo causar una reacción en cadena que se manifiesta de muchas maneras. Ya que el cuerpo de cada uno es único, los síntomas del sobreentrenamiento variarán significativamente de triatleta a triatleta. Algunos posibles síntomas a los que tenemos que estar atentos son el dolor articular, irritabilidad y un sentimiento general de mal humor, sensibilidad visual a la claridad, fatiga, insomnio, mala digestión e incapacidad para aumentar la frecuencia cardiaca de forma adecuada. Si se percata de que uno o varios de estos síntomas le asaltan, entonces es hora de disminuir la velocidad y descansar un par de días más. Éstos son sólo algunos ejemplos de las posibles reacciones de su cuerpo al estrés. Sin embargo, puede haber notado algunos síntomas que no comparta con el resto de los atletas. En definitiva, aprenda a escuchar a su cuerpo cuando le pida una tregua y pare el entrenamiento.

A lo largo de los años los triatletas se han dado cuenta de que intercalar el entrenamiento con el descanso sirve para mejorar el raro hecho de evitar lesionarse y aumentar la calidad del rendimiento. El concepto de entrenamiento básico triatlético, el entrenamiento cruzado es en sí mismo una herramienta de apoyo para la recuperación del cuerpo. Pero, ¿cómo puede saber que fuerza sus límites?, ¿dónde está esa línea roja en el metro de lesiones de nuestro cuerpo? No hay una respuesta clara que se pueda aplicar a todos por igual, pero sí se pueden dar los pasos necesarios para minimizar el riesgo.

La mayoría de las lesiones deportivas se producen por no dejar que el cuerpo descanse lo suficiente y por no darle el tiempo de recuperación que necesita. Planificar y seguir un horario de entrenamiento inteligente y efectivo que incorpore días de descanso y un entrenamiento menos exigente o unos días de entrenamiento cruzado que sirvan de recuperación son cruciales para evitar que nos lesionemos. El reto está en que muchos triatletas tienen dificultad para dedicar el tiempo necesario al descanso. El entrenamiento triatlón puede convertirse en una adicción, algunas veces hasta el punto de ser perjudicial para la salud. Para contrarrestar esta tendencia, comprométase a seguir únicamente un horario de entrenamiento que incluya algunos días de poca o ninguna actividad física para que su cuerpo pueda recuperarse. Como hemos dicho anteriormente, deberá usted planificar estos días inmediatamente después de saber en qué consistirá un ejercicio difícil o de larga duración. Por ejemplo, la mayoría de las carreras de larga distancia las hago los domingos por la mañana, así que los lunes los utilizo para descansar por completo o para hacer algún ejercicio de natación que no me plantee dificultades.

Tómese en serio tanto los días de descanso como los días de entrenamiento. Puede que también quiera programarse un masaje o alguna otra actividad que le relaje en sus días de descanso. En la carrera a pie de larga distancia, educar a su cuerpo a estos días de descanso le ayudará a ser más productivo y eficaz en sus días de entrenamiento.

# REDUCCIÓN

La reducción en el entrenamiento es una disminución de la distancia, intensidad o una combinación de ambas en los días o semanas antes de una carrera. Aunque la reducción puede que sea la parte del entrenamiento que más me gusta, para muchos de los triatletas exigentes que se han convertido en adictos a la carga de adrenalina del entrenamiento, puede que sea la menos apreciada. Supongo que todo depende de la actitud personal de cada uno. Para mí, la reducción es un período de tiempo cuyo fin es disminuir la intensidad del entrenamiento, incluso para tomarme unos días libres, ponerme cómodo y reflexionar en todo el trabajo duro que he hecho para llegar a ser un atleta en tri-forma física. También me tomo todo el tiempo necesario a fin de concienciarme mentalmente para ese gran evento. Tanto si le parece rejuvenecedor como frustrante, la reducción funciona. Los estudios han probado que reducir la intensidad del ejercicio, el volumen, o ambas cosas, antes de la carrera ayuda al cuerpo a recuperarse a tiempo para obtener el máximo rendimiento.

Según un estudio del Malaspina College de British Columbia y de la Universidad de Alberta en Canadá, se produjo un aumento del 12 por ciento en el nivel de producción límite de ácido láctico en los atletas que redujeron su actividad durante tan sólo tres días (Neary et al., 1992). El límite de producción de ácido nos sirve para medir cómo se puede mantener la intensidad de un determinado ejercicio. Cuanto más elevado sea este límite, mejores aptitudes tendrá usted para mantener el ejercicio con un alto rendimiento. (La sensación de quemazón en sus cuádriceps cuando sube una cuesta empinada se conoce como la combustión del ácido láctico, que ocurre cuando su cuerpo atraviesa ese límite durante la realización de un ejercicio de alta intensidad). Los sujetos del estudio que entrenaron hasta el día de la carrera redujeron el límite de producción de ácido láctico. Pero tenga cuidado, los atletas mencionados en el estudio que no hicieron ningún ejercicio durante toda la semana previa al día de la carrera también mostraron una reducción del límite de producción de ácido láctico, aunque el porcentaje no era tan significativo como el del grupo de atletas que llevaron a cabo un sobreentrenamiento. La lección que nos interesa aprender de este estudio es que la reducción debería consistir en la reducción metafórica de los pies en la velocidad de las pedaladas que demos o en la disminución de la velocidad a una marcha inferior, no una frenada abrupta que le haga perder perspectiva física y mental. Cuando haga su horario de entrenamiento, planificar un programa de reducción antes de sus carreras le garantizará la frescura y preparación para la carrera que necesita en la línea de salida. En los programas de entrenamiento de los capítulos 8, 9 y 10 encontrará otras recomendaciones específicas de reducción basadas en el objetivo de alcanzar la distancia total de su carrera.

# PLANIFICAR UNA TABLA
# DE EJERCICIOS DE OCHO SEMANAS

En la tercera parte de este libro verá que los capítulos están divididos en las principales cuatro distancias triatlón. Cada una de ellas contiene tablas que muestran los ejercicios matrices del entrenamiento de ocho semanas o lo que a mí me gusta llamar esquemas instantáneos de lo que el entrenamiento puede incluir en los meses que se van acercando a la carrera. Consulte estas tablas cuando se siente a planificar la temporada de su entrenamiento. Estos esquemas del ejercicio constituyen el punto de partida para crear un programa adaptado de entrenamiento que se adecue a su estado físico y capacidad reales, además de estar alineado con la fase de entrenamiento correspondiente de su calendario de temporada. Desde luego, el entrenamiento en la mayoría de las distancias requerirá más que el esfuerzo de ocho semanas. Mientras vaya planificando su programa general y divida su calendario de entrenamiento en bloques de semanas y meses, utilice las metas y los puntos de referencia que se ha impuesto anteriormente para agudizar su concentración y dotar de energía a su entrenamiento. Si sigue estos pasos tendrá las directrices básicas para redefinir su plan de entrenamiento en los próximos capítulos.

# Entrenamiento personalizado

Usted es único y su entrenamiento debe reflejar esa particularidad. Ésta es la razón por la que la segunda parte del libro le proporciona muchos ejemplos de ejercicios diversos y otros elementos importantes del entrenamiento. Desde determinar sus zonas de frecuencia cardiaca hasta adaptar un ejercicio a la hora de comer o realizar un bloque de entrenamiento perfecto, podrá consultar todo lo que necesita para empezar a planificar los ejercicios que le ayudarán a gestionar su valioso tiempo, a cumplir sus metas y a cruzar la línea de llegada sintiéndose fuerte.

# CAPÍTULO 4

# *Ejercicios de la frecuencia cardiaca*

Una de las cosas que recuerdo con mucho cariño es una carrera 10K en Lemont bastante dura. Lemont es uno de los barrios periféricos del oeste de Chicago conocido por el campo de golf Cog Hill y por unas carreteras muy empinadas (relativamente hablando, para los estados del medio oeste de EE. UU.). Me compré un monitor de frecuencia cardiaca y lo programé para que pitara cuando la frecuencia cardiaca aumentase o disminuyese por debajo de los límites de mi zona de entrenamiento. Como cualquier persona que haya hecho una carrera por un camino empinado, es difícil mantener el ritmo, y aún más mantener la frecuencia cardiaca.

Pero aminoré la marcha en los primeros kilómetros y aceleré en los últimos cuando así me lo dijo mi frecuencia cardiaca. Me las arreglé para mantenerme dentro de los límites durante casi todo el tiempo y me aproximé a lo que se llama un récord personal (RP) en un recorrido verdaderamente empinado. Y lo mejor de todo, superé a un viejo rival que siempre me pasaba en la carrera a la velocidad del viento.

El entrenamiento de la frecuencia cardiaca puede ser una de las herramientas más valiosas de su arsenal de entrenamiento, aportando muchos beneficios al cuerpo, que luego puede utilizar para entrenar de manera más eficaz y planear mejor los siguientes entrenamientos. En este capítulo hará un recorrido por los elementos básicos del entrenamiento de la frecuencia cardiaca, además de ver algunos ejemplos de ejercicios. Puesto que el entrenamiento de la frecuencia cardiaca es parte fundamental en la planificación de un entrenamiento eficaz, en los próximos capítulos verá más ejercicios basados en los principios del entrenamiento que describiremos a continuación.

# MANUAL DE LA FRECUENCIA CARDIACA

De lo que trata el entrenamiento triatlón es de la intensidad. ¿Cómo debe ser la intensidad de la brazada, el pedaleo o de la zancada en la carrera? Es una pregunta que cada triatleta se hace antes de ponerse el bañador, de comprarse unos culotes para la bici o unas zapatillas para correr. El entrenamiento de la frecuencia cardiaca se ha diseñado para responder a esa pregunta con un nivel de exactitud que sólo los monitores de alta tecnología actuales pueden proporcionarle. Al saber su frecuencia cardiaca y las zonas que realmente tiene que entrenar durante cualquier ejercicio, estará en sincronía con su cuerpo y su nivel de acondicionamiento físico, lo que le ayudará a planificar de manera firme cada ejercicio con las metas de cada éxito.

Para decidir exactamente cómo va a usar el entrenamiento de la frecuencia cardiaca en su programa, primero necesita determinar un par de factores individuales, como son la frecuencia cardiaca máxima y la frecuencia cardiaca en reposo. Una vez que haya determinado cuáles son esos factores con la fórmula de Karvonen, será capaz de decidir las zonas de frecuencia cardiaca que necesita mantener en cada ejercicio.

# ESTABLECER LAS ZONAS DE ENTRENAMIENTO

Puede estar familiarizado con la fórmula que simplemente resta su edad a 220 (pulsaciones) para determinar la frecuencia cardiaca máxima y las zonas de entrenamiento. Sin embargo, la fórmula de Karvonen tiene en cuenta un elemento importante para ayudarle a determinar un método de entrenamiento más preciso: la frecuencia cardiaca en reposo. Esta fórmula tiene en cuenta la edad y la media de la frecuencia cardiaca en reposo para determinar con exactitud su nivel de condición física. Aunque hay otros métodos para calcularlo, siempre utilizaremos esta fórmula para llevar a cabo los ejercicios de este libro.

El cuadro 4.1, situado al final de capítulo, le servirá para determinar sus zonas de frecuencia cardiaca con el método que verá en los próximos apartados. Entre otras cosas, también será capaz de hacer las modificaciones específicas en cada zona para cada deporte.

## Media de la frecuencia cardiaca en reposo

El mejor momento para calcular su frecuencia cardiaca en reposo es al despertarse por la mañana. Si normalmente se despierta estresado, bien por el estridente pitido de la radio despertador o porque los niños revolotean en su cama, intente empezar el día con tranquilidad durante al menos tres días seguidos. Por ejemplo, dígale a su pareja que le despierte con delicadeza, con una voz o caricia dulce, o pruebe con una de esas nuevas alarmas que le despiertan con una luz tenue y un pitido suave, o con una de esas que vibran un poco y son menos estresantes para su sistema nervioso. Mientras esté en la cama y en reposo, utilice un reloj para contar las pulsaciones por minuto y repita esta misma operación cada mañana durante tres días para calcular la media de su frecuencia cardiaca en reposo. Después, sume la frecuencia cardiaca en reposo que ha calculado en cada uno de esos días y divídala entre tres. El resultado que obtenga será el mejor indicador de su condición física. Cuanto mejor forma física tenga, menor será la frecuencia cardiaca en reposo, lo que significa que su corazón bombea mejor la sangre con menos latidos por minuto.

Pero, por favor, no olvide que siempre debe medir la frecuencia cardiaca en reposo cuando su régimen de ejercicios sea normal y su cuerpo haya descansado lo suficiente, no después de haber hecho intervalos de pista de alta intensidad o una carrera de 30 km. Su frecuencia cardiaca en reposo posiblemente sea más alta de lo normal durante los días posteriores a haber realizado tales duros esfuerzos.

# Zonas de entrenamiento

Las zonas de entrenamiento son mediciones de la frecuencia cardiaca que se calculan para un determinado propósito. Las zonas de entrenamiento le proporcionan un fin y dirección claros para realizar sus ejercicios, trabajando la confianza personal con el objetivo de alcanzar la meta de forma inteligente y eficaz.

Determinar sus zonas de entrenamiento le ayudará a planificar la sesión de natación, ciclismo o carrera y alcanzar resultados específicos, como aumentar la producción de ácido láctico. De este modo, cuando programe su horario de entrenamiento utilizará las zonas de frecuencia cardiaca para diseñar un ejercicio personal que le ayude a conseguir los resultados que necesita para cada fase de su calendario de entrenamiento de temporada.

Los atletas utilizan diferentes métodos para definir sus zonas de entrenamiento y algunos expertos las dividen hasta en cinco zonas. Para que pueda obtener mejores resultados en su entrenamiento, este libro describe las tres primeras: la zona de recuperación y resistencia; la zona aeróbica y de ritmo; y la zona de umbral anaeróbico. Según vaya adquiriendo una técnica más sofisticada y detallada a la hora de trabajar con su entrenamiento de frecuencia cardiaca, podrá decidir estructurar su entrenamiento utilizando hasta las cinco zonas.

Para determinar sus zonas empiece restando su edad a 220 (con esta operación calcula su frecuencia cardiaca máxima aproximada). Una vez que tenga el resultado, réstele la media de su frecuencia cardiaca en reposo. Éste es el número basal que determina en su caso la zona de entrenamiento de la frecuencia cardiaca, muy importante para calcular sus zonas personales.

## *Zona de recuperación y resistencia (60-70%)*

Esta zona de entrenamiento es la mejor para recuperarse después de los ejercicios. Tras un ejercicio de alta intensidad o durante un largo período de tiempo donde real-

*El entrenamiento de la frecuencia cardiaca le ayuda a conseguir, y a mantener, su zona de entrenamiento durante la carrera ciclista.*

mente se ha esforzado al límite, con la zona de recuperación y resistencia podrá consolidar los beneficios del duro trabajo realizado con el mínimo esfuerzo, dándole a su cuerpo la oportunidad para rejuvenecer. Además, es la zona en la que puede centrarse cuando construya su base de resistencia, como cuando corre una distancia larga a ritmo lento a principios de la temporada de entrenamiento para conseguir una buena base física. Entrenar en esta zona para consolidar la resistencia aumentará gradualmente de forma segura y sin riesgos su condición física mientras le da la oportunidad al cuerpo de adaptarse a distancias más largas y asentará una base sólida para un entrenamiento de mayor intensidad cuando salga a la calle.

Para calcular el límite mínimo de su zona de recuperación y resistencia, multiplique el número basal de su zona de entrenamiento por el múltiplo de esta zona: 0,60 (60%) y súmele al resultado la media de su frecuencia cardiaca en reposo. De esta manera obtendrá el límite mínimo de la frecuencia cardiaca de su zona de recuperación y resistencia.

Para determinar el límite máximo de su zona de recuperación y resistencia multiplique el número que representa el límite de su zona de entrenamiento por el múltiplo de esta zona: 0,70 (70%), y súmele al resultado la media de su frecuencia cardiaca en reposo. De esta manera obtendrá el límite máximo de su frecuencia cardiaca de su zona de recuperación y resistencia.

## *Zona aeróbica y de ritmo (70-80%)*

Esta zona refleja una mayor intensidad como resultado de un mejor nivel de potencia aeróbica, una mejora de lo que normalmente se conoce como el efecto de entrenamiento. Aumentar la capacidad aeróbica significa que su sistema respiratorio funciona mejor, potenciando la capacidad de su cuerpo para transportar el oxígeno a los músculos mientras expulsa al mismo tiempo el dióxido de carbono de éstos. Entrenar en esta zona forma la base de su capacidad física (en un período de tiempo determinado) y le proporciona la suficiente fuerza para nadar, correr o hacer ciclismo durante más tiempo y a más velocidad. Una vez que haya determinado la base de su capacidad aeróbica, entrenará casi siempre en esta zona.

Para establecer el límite mínimo y máximo de la zona aeróbica y de ritmo, utilice la misma fórmula que he descrito en la zona de recuperación, pero en este caso los múltiplos mínimo y máximo son 0,70 y 0,80, respectivamente.

## *Zona de umbral anaeróbico (80-90%)*

Esta zona representa la intensidad máxima que normalmente alcanzaría durante un ejercicio de intervalos de pista o durante una cuesta muy empinada con su bici de paseo. El umbral anaeróbico es el punto en el que se pasa de un estado aeróbico a anaeróbico. Probablemente sentirá como si sus piernas ardieran mientras sube, por ejemplo, una escalada empinada con la bici, porque el ácido láctico de los músculos de sus piernas se acumula más rápido y antes de que su cuerpo lo pueda metabolizar.

La zona de umbral anaeróbico representa un nivel de entrenamiento de alta intensidad que debería reservar para los intervalos de ejercicios en pista u otros ejercicios más difíciles. Debería compensar estratégicamente estos ejercicios con otros ejercicios fáciles de recuperación para evitar el sobreentrenamiento y mantenerse mental y físicamente fresco. Aunque es difícil por naturaleza, entrenar en esta zona implica obtener unos enormes beneficios en velocidad y resistencia, además puede ayudarle a perfeccionar su técnica y a mejorar en las tres disciplinas, siempre y cuando sea consciente de mantener una buena forma física bajo la presión de estos ejercicios.

Para determinar su zona de umbral anaeróbico, utilice los múltiplos 0,80 y 0,90 para su límite mínimo y máximo, respectivamente.

# AJUSTES DE LAS ZONAS DE ENTRENAMIENTO

Una vez que sepa sus zonas de entrenamiento, debe seguir ajustando un poco más los límites e individualizar más su entrenamiento para ser más eficiente y exacto. Todo el entrenamiento tiene que estar individualizado y estos ajustes tienen en cuenta las distintas características de cada deporte, las condiciones meteorológicas y los síntomas de alguna enfermedad o sobreentrenamiento que puedan repercutir en su cuerpo.

Algunos de estos ajustes son específicos de cada deporte. A lo largo de los años se ha convertido en un principio para mí que la frecuencia cardiaca en la carrera tenga al menos 10 latidos más que durante un esfuerzo similar mientras hacía ciclismo. Y no es que sea algo poco frecuente, porque cuando corremos forzamos mucho las piernas, lo que aumenta el nivel de tensión sobre los grupos más importantes de músculos por el impacto al golpear el suelo. Hacer ciclismo es menos estresante en este sentido para las articulaciones, y además se tiene con frecuencia un ritmo cardiaco más bajo. La natación es incluso menos exigente todavía.

Con el fin de cumplir las demandas exclusivas de cada uno de los tres deportes, puede que quiera ajustar sus zonas de entrenamiento en ciclismo para reducir 10 pulsaciones por minuto de las totales que utilizaría para correr. Por ejemplo, si ya ha comprobado con unas cuantas carreras de varias intensidades los límites de la zona de entrenamiento de uno de estos deportes utilizando las fórmulas anteriores, entonces reste 10 pulsaciones de su límite mínimo y máximo en cada zona para establecer sus zonas en ciclismo. En el caso de natación, reduzca cinco pulsaciones sus zonas de entrenamiento partiendo de las zonas ajustadas en ciclismo.

Ajustar su entrenamiento de frecuencia cardiaca teniendo en cuenta la altitud, el tiempo y cualquier enfermedad sería también una decisión inteligente.

• **Altitud.** Si está entrenando o desplazándose para hacer una carrera por primera vez a unos 1.900 metros de altura, o si lo hace muy de vez en cuando, su frecuencia cardiaca será, como es natural, más elevada, incluso en reposo. A unos 3.000 metros de altitud puede encontrarse con que su frecuencia cardiaca es exactamente un 50 por ciento más elevada. Este aumento se debe a que la concentración de oxígeno en el aire es más baja en altitudes más altas, aunque también es verdad que cuanto más tiempo esté en altitudes altas, más mejorará la capacidad de su cuerpo para adaptase al medio, y posiblemente recupere sus niveles de frecuencia cardiaca habituales después de dos o tres semanas. De hecho, puede hacer un seguimiento de la aclimatización con un monitor de frecuencia cardiaca, anotando cómo disminuye su frecuencia y cómo se recupera al final hasta alcanzar los niveles normales después de varias semanas. Durante este tiempo de aclimatación, no fuerce su capacidad aeróbica y manténgase en su zona de entrenamiento porque puede que tenga que ralentizar o disminuir la intensidad de su entrenamiento de manera provisional. Sea paciente, su cuerpo se ajustará a las zonas de entrenamiento.

• **Altas temperaturas.** Hacer ejercicio con altas temperaturas hace que su cuerpo se esfuerce más para mantenerse fresco. El aumento del flujo sanguíneo en la piel y el sudor puede provocar un ritmo cardiaco elevado. Lo bueno es que un entrenamiento constante bajo el calor estimula la aclimatación de manera muy parecida al entrenamiento en altitudes elevadas. El cuerpo es mucho más eficiente a la hora de combatir el calor, favoreciendo el flujo normal de la sangre, la disminución de contenido salino en el sudor y ayudando a recuperar la frecuencia cardiaca normal.

Para realizar este ajuste normalmente son necesarios 10 días de constante entrenamiento o unas seis sesiones de entrenamiento realizados con temperaturas altas. No olvide nunca que tiene que hidratarse (tanto si hace calor como si hace frío, pero normalmente es más importante que se hidrate cuando haga calor). La deshidratación puede disminuir el volumen total de la sangre empeorando las funciones cardiovasculares y aumentando la frecuencia cardiaca.

• **Enfermedad.** Si observa que la frecuencia cardiaca en reposo ha caído en picado o que le resulta más difícil de lo normal alcanzar sus zonas de entrenamiento, seguramente vaya a ponerse enfermo, como contraer un resfriado o la gripe. Si sufre alguna o ambas enfermedades, interrumpa el entrenamiento y tómese un día de descanso o bien haga algunos ejercicios fáciles de recuperación.

# LA ZONA DE SOBREENTRENAMIENTO

La dificultad a la hora recuperar su frecuencia cardiaca habitual mientras realiza un ejercicio indica sobreentrenamiento. Ésta es otra razón por la que la frecuencia cardiaca puede ser beneficiosa: crea un vínculo con su cuerpo que le enseña a sintonizar más con lo que está ocurriendo. Si fracasa a la hora de escuchar a su cuerpo e interpretar su monitor de frecuencia, la incapacidad de poder alcanzar su zona de entrenamiento puede llevarle a seguir sobreentrenándose. La dificultad de los vasos sanguíneos para contraerse, debida a la reducción de la hidrocortisona provocada por el sobreentrenamiento, disminuye el umbral de la frecuencia cardiaca máxima alcanzada en el ejercicio. En tal caso, un monitor de frecuencia cardiaca puede detectar estos síntomas de haber realizado un duro esfuerzo, aunque también puede reflejar que no se está esforzando lo suficiente porque su frecuencia cardiaca es inferior a la normal. Diferenciar la fina línea entre el entrenamiento de alto rendimiento y el sobreentrenamiento es un reto constante, incluso para los atletas profesionales que viven de las carreras triatlón. El diario de entrenamiento debería ser su herramienta más valiosa cuando sospeche que está sobrepasando esa línea. Al revisar de forma objetiva las últimas semanas más productivas de entrenamiento, debería ser capaz de divisar las pistas y patrones que caracterizan el sobreentrenamiento.

Otro indicador del sobreentrenamiento es la incapacidad de su cuerpo para recuperarse entre las repeticiones de un programa de entrenamiento a intervalos. Después del ejercicio, debería, por lo general, ser capaz de recuperar su frecuencia cardiaca normal a unas 120 pulsaciones por minuto, aunque ésta no es una medida exacta. En primer lugar debería establecer cuál es su frecuencia normal de recuperación. Es obvio que su nivel de condición física también influye en su capacidad para recuperarse.

Si se ha fijado una frecuencia cardiaca de recuperación dentro de un período de tiempo determinado y aprecia que le cuesta más tiempo recuperarse entre los intervalos, es posible que necesite salirse del camino y tomarse uno o dos días libres.

# EL ENTRENAMIENTO DE LA FRECUENCIA CARDIACA

El entrenamiento de la frecuencia cardiaca es una herramienta imprescindible que puede utilizar para cualquier tipo de ejercicio. De hecho, es aún más práctica cuando tiene una meta determinada o cuando su concentración en el entrenamiento es específica, razón por la que las recomendaciones sobre la frecuencia cardiaca están integradas en muchos de los ejercicios que se verán a lo largo de los tres próximos capítulos, así como de los ejercicios de entrenamiento para las distancias determinadas que se verá en la tercera parte.

Para que pueda empezar ahora mismo, a continuación se ilustran algunos ejemplos de ejercicios de frecuencia cardiaca de distancias diversas con las modificaciones que le he sugerido para poder aplicarlas a cualquier carrera. Como verá, hay muchas maneras creativas de utilizar la monitorización para que su entrenamiento sea divertido mientras estimula su rendimiento y eficacia del entrenamiento.

*Olvídese de las marcas del sol. Llevar un monitor de frecuencia cardiaca durante la carrera le ayudará a alcanzar el máximo rendimiento.*

## ▶ *ENTRENAMIENTO DE NATACIÓN DE RECUPERACIÓN RÁPIDA (SPRINT)*

Nadar con un monitor de frecuencia cardiaca puede causarle problemas si depende de la alarma para determinar la zona de entrenamiento, que suena cuando alcanza los límites máximo o mínimo del baremo específico de zona cardiaca. Puede que sea difícil escuchar el pitido cuando esté nadando y aún casi imposible si lleva tapones. Si éste es su caso, una buena solución es hacer un ejercicio que requiera el monitor de frecuencia cardiaca como herramienta para medir y mejorar su capacidad de recuperación entre los intervalos. Este ejercicio no sólo aumentará su condición física en general, sino que además le ayudará a recuperarse y a rendir mejor en los inevitables máximos y mínimos de la carrera.

**Calentamiento:** Nade a un ritmo normal durante 10 minutos, empezando despacio y aumentando gradualmente la frecuencia cardiaca para alcanzar su zona de recuperación y resistencia. Si tiene dificultades para oír la alarma del monitor y ver su frecuencia cardiaca, no pasa nada si se detiene durante unos segundos entre vuelta y vuelta.

**Ejercicio:** Nade una serie de seis intervalos de 50 metros cada uno con una intensidad alta, para que la frecuencia cardiaca aumente rápidamente hasta su zona de umbral anaeróbico. Descanse entre cada intervalo hasta que la frecuencia cardiaca disminuya y alcance la zona de recuperación y resistencia, entonces siga con el siguiente intervalo de 50 metros. Puede que necesite hacer varios intervalos hasta que su frecuencia cardiaca aumente hasta su zona de umbral anaeróbico, especialmente si tiene una condición física excelente, en cuyo caso debe aumentar la distancia del intervalo de alta intensidad hasta 75 ó 100 metros.

**Ajustes para la distancia:** Realice los ajustes necesarios para las distancias más largas aumentando por dos el número de intervalos en cada distancia triatlón (ocho para la olímpica; 10 para la media-Ironman; y 12 para la Ironman).

**Enfriamiento:** Nade a un ritmo normal durante 10 minutos, preferiblemente incluyendo algunos ejercicios técnicos.

## ▶ *EJERCICIO DE BICICLETA ELÍPTICA (SPRINT Y DISTANCIA OLÍMPICA)*

Éste es un buen ejercicio para sintonizar mejor con el modo en el que los pequeños cambios durante el esfuerzo de la carrera pueden afectar a su ritmo cardiaco; fomenta el sentimiento de dominar y controlar su cuerpo, una ventaja que estimula la confianza en sí mismo, muy valiosa para la carrera. Este ejercicio se debe realizar en un recorrido llano o con una bicicleta elíptica.

**Calentamiento:** Pedalee a un ritmo normal durante 15 minutos, y aumente gradualmente el ritmo cardiaco desde su zona de recuperación y rendimiento hasta su zona aeróbica y a ritmo.

**Ejercicio:** Una vez que esté en su zona aeróbica y a ritmo, esfuércese más para alcanzar el límite máximo de la zona hasta que suene la alarma de su monitor. Después vaya disminuyendo la intensidad del esfuerzo hasta que suene la alarma de haber alcanzado su límite mínimo. Aumente el esfuerzo hasta que suene la alarma del límite máximo. Continúe disminuyendo y aumentado el límite de su zona de 20 a 30 minutos. Si puede registrar su frecuencia cardiaca en un gráfico (en el monitor), podrá ver el máximo y el mínimo del patrón formado por los límites de su zona aeróbica y a ritmo.

**Ajustes para la distancia:** Para una carrera media-Ironman, aumente el ejercicio de 30 a 40 minutos. Para Ironman, de 40 a 50 minutos. Según vaya aumentando la distancia y el tiempo, este patrón se irá convirtiendo en un reto cada vez más desafiante. En el caso de necesitarlo, interrumpa el pedaleo a la mitad del ejercicio de 5 a 10 minutos.

**Enfriamiento:** Monte en bici de 10 a 15 minutos. Haga un ejercicio facilito de spinning para recuperarse en la zona de recuperación y resistencia.

## ▶ CORRER EN TRAMOS ASCENDENTES (MEDIA-IRONMAN)

Al contrario de lo que puede parecer, correr en tramos ascendentes no es un entrenamiento para subir cuestas, sino que le sirve para aumentar el ritmo de carrera al concentrarse en aumentar cada vez más su frecuencia cardiaca (o escalones), para después recuperarse gradualmente mientras desciende (algunas veces a este entrenamiento también se le conoce como en pirámide). Este régimen puede considerarse un ejercicio de alta intensidad para mejorar la resistencia, fuerza en las extremidades inferiores y eficacia en la carrera.

**Calentamiento:** Corra a un ritmo normal durante 15 minutos y aumente gradualmente la frecuencia cardiaca durante al menos cinco minutos en su zona de recuperación y resistencia.

**Ejercicio:** Programe su reloj o monitor de frecuencia para que pite cada cinco minutos y empiece la cuenta atrás después de hacer el calentamiento. Corra los primeros cinco minutos con las cinco pulsaciones más bajas de su zona de recuperación y resistencia. Corra cada segmento de cinco minutos con una frecuencia cardiaca cinco pulsaciones más rápidas, y siga así hasta que haya completado seis aumentos de pulsaciones de cinco minutos (pero no sobrepase la zona del umbral anaeróbico). A continuación, empiece a descender cinco latidos cada cinco minutos, hasta que haya alcanzado el límite más bajo de su zona de recuperación y resistencia una vez más.

**Ajustes para la distancia:** Puede reducir esta carrera de 60 minutos a una distancia sprint (y distancia olímpica) reduciendo los aumentos de dos a cuatro peldaños arriba, peldaños abajo. Para un entrenamiento Ironman, incremente hasta ocho aumentos de cinco minutos, pero no sobrepase el límite máximo de su zona de umbral anaeróbico.

**Enfriamiento:** Corra durante 10 minutos a un ritmo normal.

## Cuadro 4.1  Frecuencia cardiaca (FC)

### Paso 1.  Determine la media de su frecuencia cardiaca en reposo (FCR)

| | Frecuencia cardiaca en reposo |
|---|---|
| Día 1 | |
| Día 2 | |
| Día 3 | |
| Sume la frecuencia cardiaca de cada día | |
| Divida el resultado entre 3 para determinar su frecuencia cardiaca en reposo | |

### Paso 2.  Determine su FC basal

1. 220 – _____ (edad) = _____ (FC máxima)

2. _____ (FC máxima) – _____ (media de FC en reposo) = _____ zona de FC basal

### Paso 3.  Calcule sus zonas de entrenamiento

*Zona de recuperación y resistencia (60-70%)*

_____ (zona de FC basal) x 0,60 = _____ + _____ (FCR) = _____ (mínimo)

_____ (zona de FC basal) x 0,70 = _____ + _____ (FCR) = _____ (máximo)

Su zona de recuperación y resistencia: _____ a _____

*Zona aeróbica y ritmo (70-80%)*

_____ (zona de FC basal) x 0,70 = _____ + _____ (FCR) = _____ (mínimo)

_____ (zona de FC basal) x 0,80 = _____ + _____ (FCR) = _____ (máximo)

Su zona aeróbica y ritmo: _____ a _____

*Zona de umbral anaeróbico (80-90%)*

_____ (zona de FC basal) x 0,80 = _____ + _____ (FCR) = _____ (mínimo)

_____ (zona de FC basal) x 0,90 = _____ + _____ (FCR) = _____ (máximo)

Su zona de umbral anaeróbico: _____ a _____

## Paso 4. Ajustes específicos para cada deporte

*Zonas de entrenamiento en ciclismo, utilice las zonas de entrenamiento que haya calculado antes:*

Recuperación y resistencia:

_____ (límite máximo) −10 = _____ (límite máximo ajustado)

_____ (límite mínimo) −10 = _____ (límite mínimo ajustado)

Su zona de entrenamiento de recuperación y resistencia en ciclismo: _____ a _____

Zona aeróbica y ritmo:

_____ (límite máximo) −10 = _____ (límite máximo ajustado)

_____ (límite mínimo) −10 = _____ (límite mínimo ajustado)

Su zona aeróbica y ritmo en ciclismo: _____ a _____

Zona de umbral anaeróbico:

_____ (límite máximo) −10 = _____ (límite máximo ajustado)

_____ (límite mínimo) −10 = _____ (límite mínimo ajustado)

Su zona de umbral anaeróbico en ciclismo: _____ a _____

*Zonas de entrenamiento en natación, utilice las zonas de entrenamiento que haya calculado antes:*

Recuperación y resistencia:

_____ (límite máximo) −5 = _____ (límite máximo ajustado)

_____ (límite mínimo) −5 = _____ (límite mínimo ajustado)

Su zona de entrenamiento de recuperación y resistencia en natación: _____ a _____

Zona aeróbica y ritmo:

_____ (límite máximo) −5 = _____ (límite máximo ajustado)

_____ (límite mínimo) −5 = _____ (límite mínimo ajustado)

Su zona aeróbica y ritmo en natación: _____ a _____

Zona de umbral anaeróbico:

_____ (límite máximo) −10 = _____ (límite máximo ajustado)

_____ (límite mínimo) −10 = _____ (límite mínimo ajustado)

Su zona de umbral anaeróbico en natación: _____ a _____

## Paso 5. Ajustes específicos para cada deporte

Realice cualquier ajuste cuando se den los siguientes factores:

- Altitud
- Enfermedad
- Calor
- Otros factores que puedan variar la frecuencia cardiaca: _____

# CAPÍTULO 5

# Entrenamientos basados en el tiempo

Es posible que el mayor obstáculo que le impida entrenar de manera constante y alcanzar su meta triatlón no sea ni el terreno sobre el que se desplace, ni los cuatro elementos (fuego, aire, tierra y agua), ni siquiera alguna lesión que pudiera sufrir. Es más que probable que el tiempo sea ese factor determinante. Como la mayoría de las cosas en la vida, alcanzar el éxito en el entrenamiento triatlón es directamente proporcional a su capacidad para incluirlo dentro de un día de mucho trabajo. Tanto por las exigencias de su carrera profesional, matrimonio, hijos o el jardín de casa, buscar tiempo para entrenar puede llegar a ser un auténtico intríngulis, de hecho, el mismo concepto *buscar tiempo* es parte del problema. La diferencia entre *encontrar* y *conseguir tiempo* para el entrenamiento puede parecernos muy pequeña, pero en realidad es tan grande como una distancia Ironman.

Puede que nunca encuentre tiempo para entrenar si su carrera profesional es bastante prometedora y su vida familiar le ocupa mucho. Siempre habrá algo que hacer, un cónyuge o niños a los que atender, y con razón. Sólo cuando reserve con determinación un intervalo de tiempo en su horario o cuando reserve aún más para entrenar (por ejemplo, a la hora de comer) y cambie sus obligaciones con el objetivo de poder entrenar de manera constante, entonces dominará la manera de gestionar el tiempo triatlón.

Este capítulo se centra en una serie de entrenamientos basados en el tiempo, en los distintos momentos del día o días de la semana y contiene algunos consejos que le explicarán cómo aprovecharlos al máximo. El momento del día donde se realicen puede ser decisivo en su estilo de vida, pero también es posible que se tope con uno o varios de ellos que le ayuden a ajustar un poquito más su horario de entrenamiento dentro de un estilo de vida ajetreado.

# ENTRENAMIENTOS MATINALES

Todos hemos oído la expresión *persona madrugadora*. Aunque es verdad que algunos estamos totalmente predispuestos a acostarnos tarde, estar en forma a primera hora de la mañana es básicamente una cuestión de costumbre. Los entrenamientos matinales suelen ser lo mejor para aquellas personas que se enfrentan a un horario ajetreado que bien les proporciona muy poca flexibilidad. Levantarse una o varias horas antes requiere un compromiso de energía y dedicación que en principio puede resultar difícil, pero cuyos resultados valen la pena. Al final, su sesión de entrenamiento matinal puede llegar a ser su momento del día preferido.

Las mañanas son el momento ideal del día para entrenar, por varias razones:

- Hacer ejercicio por la mañana le ayuda a empezar el día lleno de energía con una excelente actividad cardiaca que no es producto de su taza matinal de café.
- El ejercicio despeja la mente y le ofrece la oportunidad para ordenar sus pensamientos, preparándole lo suficiente para el día que le queda por delante.
- Hacer frente a los elementos (tanto si es el impacto del agua fría cuando se mete en la piscina como el aire frío de una carrera en otoño) puede darle la energía y motivación necesarias para el resto del día.
- Hacer ejercicio por la mañana despeja su horario para otras obligaciones importantes que tenga que realizar.
- Hacer ejercicio por la mañana resuelve sus dudas sobre la manera de ajustar un ejercicio en su horario para el resto del día.
- Hacer ejercicio por la mañana no entra en conflicto con sus responsabilidades familiares (siempre y cuando sus ejercicios sean resultado de levantarse antes).

## Preparación

La clave para tener éxito con una rutina matinal de entrenamiento es la preparación; cuanto más fácil le resulte entrenar sin que nadie se lo diga (en especial si no se considera una persona madrugadora), mayores serán sus probabilidades de éxito. Como cualquier otra actividad que desee convertir en hábito, quiere que se haga de forma automática, porque cuanto menos tenga que pensar sobre la ropa que ponerse, el horario y la manera de hacer cumplir ese entrenamiento en el tiempo previsto, mejor.

Si va a cambiar sus hábitos de sueño y a levantarse más temprano, poco a poco tendrá que irse antes a la cama para que su cuerpo pueda adaptarse con tiempo a su nuevo horario. Prepare su equipo de natación, de ciclismo y para correr la tarde o la noche anterior, tenga lista la ropa y un macuto al lado de la cama si se va a nadar la mañana siguiente. No olvide cerciorarse de que las ruedas tienen aire y que el cambio de marchas está listo para salir en bici.

# Ejemplos de entrenamientos matinales

Prácticamente cualquier ejercicio se puede hacer por la mañana (el único impedimento es el tiempo). Decida el ejercicio que decida, asegúrese de que se da el tiempo suficiente para calentar y disminuir la intensidad de la actividad, en especial si ha estado corriendo en bici o a pie nada más levantarse de la cama. Hemos visto algunas de las ventajas de los entrenamientos matinales, pero hay que decir que otro beneficio extra es que su corazón se acostumbrará a rendir al máximo a primeras horas de la mañana, prácticamente igual que una carrera. Puesto que la salida de la mayoría de las carreras triatlón se hace al amanecer, tener una buena predisposición y un buen nivel de energía cultivados con una serie de ejercicios matinales constantes le aventajará de forma decisiva en la competición. A continuación veremos ejemplos de ejercicios matinales de entrenamiento de varias distancias.

## ▶ *ENTRENAMIENTO DE NATACIÓN (SPRINT)*

Este entrenamiento es una magnífica ocasión para aumentar su resistencia en el menor tiempo posible. Manteniendo un ritmo constante en una distancia moderada, mejorará su resistencia acuática.

**Calentamiento:** 75 minutos a ritmo suave.

**Ejercicio:** 700 metros a un ritmo constante, sostenible y sin parar.

**Enfriamiento:** 50 metros a ritmo suave.

## ▶ *ENTRENAMIENTO DE CICLISMO (DISTANCIA OLÍMPICA)*

El spinning realizado a una serie de revoluciones por minuto (rpm) medianamente elevadas es un método excelente para mejorar la técnica y la eficacia del pedaleo. Además es un buen ejercicio para conseguir una base física que le ayude a evitar las lesiones propias del ciclismo en carretera. Le hará falta un miniordenadores que mida la cadencia de pedaleo.

**Calentamiento:** Cinco minutos a ritmo suave.

**Ejercicio:** 24 km de spinning a 90 o más rpm.

**Enfriamiento:** Cinco minutos con una marcha suave. A continuación levántese del sillín y estire sus flexores de la pierna y pantorrillas.

## ▶ *ENTRENAMIENTO DE CARRERA A PIE (IRONMAN)*

Los primeros minutos o kilómetros de una carrera matinal son siempre los más difíciles, así que déjelo pasar y vaya despacito. Éste es un ejercicio ideal para recuperarse después de un entrenamiento largo y duro, ya que le da la oportunidad de consolidar el esfuerzo físico que realice.

**Calentamiento:** Camine o corra muy despacio los primeros cinco minutos del ejercicio.

**Ejercicio:** Corra durante 60 minutos a ritmo suave. Tómese la libertad de romper a correr en el medio del ejercicio para dejar fluir la adrenalina.

**Enfriamiento:** Camine durante cinco minutos o corra los últimos cinco minutos a un ritmo muy lento.

# ENTRENAMIENTOS AL MEDIODÍA

Si su horario está tan apretado que tiene que dar prioridad a ciertas cosas para poder incluir el ejercicio en su semana laboral, no hay mejor solución que hacer un buen entrenamiento a la hora de comer. Para los que están siempre sentados frente a una mesa o los que trabajan en un par de metros cuadrados, la hora de comer puede ser un tiempo precioso para hacer un ejercicio decente, siempre y cuando cuente con las necesidades básicas para ello (como una piscina en las proximidades o gimnasio; una ruta para correr o hacer bici cerca de su lugar de trabajo; y duchas). Es obvio que todavía quiera asegurarse de obtener todos los nutrientes necesarios, que hemos visto en el capítulo 2, así pues lleve algo rápido y nutritivo para comer o barritas energéticas para después del ejercicio. Entrenar durante la hora de comer tiene muchas ventajas:

- Puede entrenar durante una hora sin dejar a un lado su horario del resto del día.
- Le proporciona la energía necesaria y le ayuda a superar la típica pérdida de dinamismo característica de tener que trabajar por las tardes; en realidad, hacer ejercicio al mediodía puede hacer que sea más productivo.
- Le da la oportunidad de descansar al mediodía de la rutina laboral.
- Si tiene compañeros que entrenen durante la hora de comer, es una buena ocasión para sumarse al grupo e ir alimentando una cultura positiva y saludable de *fitness* en el trabajo.
- Estos entrenamientos pueden animar a que su jefe les proporcione un gimnasio y duchas dentro de las instalaciones de trabajo.

## Preparación

Amoldarse a un entrenamiento al mediodía mientras sigue cumpliendo con las obligaciones laborales y de su carrera profesional puede ser un verdadero juego de malabares. Si las incursiones para hacer algún ejercicio al mediodía afectan su productividad laboral, es posible que su jefe no las apoye. Cada situación es única: la gente que tiene más libertad y flexibilidad en el trabajo (el jefe, los teletrabajadores) están mejor situados para poder hacer una marcha rápida en bici o una visita a una piscina. La clave está en echar un vistazo al horario y decidir cuál es la mejor estrategia de entrenamiento que no amenace a su trabajo.

Es importante que también analice el plan de entrenamiento del mediodía con su jefe o director de recursos humanos, especialmente si duda de que el entrenamiento pueda afectar a su disponibilidad (por ejemplo, si siempre está de guardia) o si repercute en el horario de sus compañeros. Aunque no hay garantía, la mayoría de los jefes apreciarán su franqueza y compromiso con su trabajo y entrenamiento.

Para hacer un ejercicio al mediodía prepararse es fundamental: ¿tiene el equipo y los productos de aseo que necesita? Tenga siempre un plan B por si las circunstancias laborales se complican o hacen imposible que se escape para entrenar durante la hora de comer. Compruebe que también tiene el tiempo suficiente para ducharse y volver a tiempo al trabajo.

# Ejemplos de entrenamientos al mediodía

Puesto que dispone de muy poquito tiempo para hacer ejercicio a la hora de comer (se tiene que cambiar, duchar y desplazar hasta el lugar del entrenamiento), debe entrenar con una intensidad de normal a elevada. No podrá recorrer una distancia de más de 30 a 45 minutos, pero en cualquier caso estará realizando un ejercicio realmente difícil que contribuirá en definitiva a su plan general de entrenamiento. Durante un ejercicio corto de alta intensidad es muy posible que se acerque a su umbral de ácido láctico (zona anaeróbica), por lo que entrenar a este nivel le condicionará físicamente para ser más eficiente.

## ▶ ENTRENAMIENTO DE NATACIÓN (MEDIA-IRONMAN)

Éste es un ejercicio que combina los beneficios del rendimiento resultantes de la técnica con el perfeccionamiento de la velocidad como resultado de nadar a un ritmo rápido.

**Calentamiento:** 50 metros a ritmo suave.

**Ejercicio:** 4 × 75 metros a un ritmo rápido, a una velocidad casi límite; 2 × 75 metros a ritmo muy lento para perfeccionar la técnica; y 4 × 75 metros a ritmo rápido, a una velocidad casi límite. Descanse de 20 a 30 segundos entre cada uno de los intervalos de 75 metros.

**Enfriamiento:** 50 metros a ritmo suave.

## ▶ EJERCICIO DE CICLISMO (SPRINT)

Con un monitor de frecuencia cardiaca podrá alcanzar sus zonas de entrenamiento.

**Calentamiento:** Cinco minutos de spinning con una marcha suave.

**Ejercicio:** Manténgase en los 8 a 11 kilómetros de la carrera en su zona de entrenamiento aeróbica y de ritmo con tres ejercicios de un minuto de pedaleo a máxima potencia, sprint y subida de cuesta empinada para alcanzar el límite máximo de su zona o incluso para sobrepasarla ligeramente.

**Enfriamiento:** Cinco minutos con una marcha suave, luego estire tendones y piernas.

### ▶ ENTRENAMIENTO DE CARRERA A PIE (DISTANCIA OLÍMPICA)

De nuevo, debe concentrarse en un ejercicio cuya intensidad vaya de normal a elevada para sacar el máximo provecho del poco tiempo que dispone. El entrenamiento con el sistema Fartlek (juego de velocidad) puede serle útil para ello. Con este sistema despliega toda su velocidad de manera espontánea en el medio de la carrera. Está diseñado para que se divierta y obtenga al mismo tiempo buenos resultados, ya que todos estos pequeños esfuerzos pondrán su cuerpo al límite y mejorarán su velocidad de una manera muy parecida a los ejercicios de intervalos.

**Calentamiento:** Camine o corra muy despacio durante los primeros cinco minutos del ejercicio.

**Ejercicio:** Corra 30 minutos dentro de su zona aeróbica y ritmo aumentando la velocidad de manera espontánea o corriendo sprints de varias distancias (pero que no duren más de un minuto) en el medio del ejercicio. Por ejemplo, escoja un punto de referencia visual y corra con un paso de carrera o incluso más rápido hasta que llegue a ese punto de referencia (si corre con compañero, corra para mantener el ritmo).

**Enfriamiento:** Camine durante cinco minutos o corra los últimos cinco minutos a un ritmo muy lento.

## ENTRENAMIENTOS POR LA TARDE (NOCHE)

En mi opinión, el entrenamiento que se hace por la tarde es el único que exige la mayor parte de nuestra disciplina durante el largo recorrido del ejercicio por una simple razón: el hambre. El espacio de tiempo que utiliza para hacer el ejercicio de la tarde está comprendido entre la hora de ir a casa y la hora de cenar, dependiendo de la hora a la que termine de trabajar. Siempre me ha parecido difícil subirme sistemáticamente a la bici, hacer una carrera en pista o meterme en la piscina después de un duro día de trabajo teniendo que hacer frente a la posibilidad de retrasar la cena durante una o dos horas más. Pero todas las veces que he reunido la energía y fuerza necesarias, me he dado cuenta de que hacer ejercicio por la tarde puede aportar beneficios como los siguientes:

* Es un buen momento para dejar atrás la tensión del trabajo y del hogar y centrarse en «mi tiempo».
* Le recarga de energía para cuando vuelva a casa con la familia.
* Cenar después de un buen ejercicio fomenta los buenos hábitos alimenticios y regula la cantidad de comida que ingiere (y ayudará a reducir la culpabilidad de las veces que hacemos trampa).
* Hacer ejercicio por la tarde actúa de puente para tener una tarde relajada y divertida y dormir bien por la noche.

## Preparación

Los entrenamientos realizados por la tarde dependen de muchas variables, como el tiempo que utilice para regresar a casa, las responsabilidades familiares y los planes que tenga para cenar. Así pues, lo más importante es reservar este espacio de tiempo y comprometerse firmemente con el entrenamiento antes de sentarse a la mesa. Algunas veces el mundo conspira para evitar que lleve a cabo su entrenamiento, así que tenga un plan B o guarde un entrenamiento más corto en la manga, lo necesitará. Es importante encontrar tiempo para entrenar por la tarde (tanto si es antes o después de cenar) para mantenerse en la dirección correcta con su preparación.

Algunas personas fuertes prefieren correr a final de la tarde, después de cenar, por ejemplo. Las carreras nocturnas pueden llenarle de energía. Asegúrese de que toma todas las precauciones de seguridad, como llevar ropa o un chaleco reflectante. Correr a estas horas puede ser peligroso por el tráfico y otras circunstancias (evite las zonas aisladas cuando se haya hecho de noche). Debe encontrar un hueco por la tarde que le permita equilibrar la necesidad de entrenar con otras exigencias.

Considere empezar sus ejercicios de la tarde inmediatamente después de llegar a casa; tenga la ropa, el equipo y el macuto de entrenamiento listos para salir zumbando. Es mejor evitar sentarse, ver la tele o hacer cualquier otra actividad sedentaria que le anime a saltarse el entrenamiento. De hecho, si le queda a mano y es posible, vaya directamente del trabajo al gimnasio o a la piscina, a la pista de atletismo o al carril de bicis antes de regresar a casa (será lo último que haga antes de llegar). Solamente asegúrese de avisar a su cónyuge o pareja para cambiar los planes de la cena con el objetivo de incorporar su ejercicio de las tardes en el entrenamiento, y mejor aún si le acompaña en el ejercicio.

Hacer ciclismo a esta hora del día puede ser muy duro por dos razones: la creciente oscuridad y el aumento del tráfico en la carretera. Utilice siempre las precauciones de seguridad necesarias.

# Ejemplos de entrenamientos por la tarde-noche

Tiene que ser extremadamente flexible a la hora de planificar su entrenamiento por la tarde. Existen muchas variables, así que tómeselo con calma si se ve obligado a reducir los ejercicios (en intensidad o distancia) cuando entren en juego otras obligaciones o su piloto de energía se encienda porque esté al mínimo.

### ▶ *ENTRENAMIENTO DE NATACIÓN (IRONMAN)*

La tarde-noche es ideal para nadar porque refresca cuerpo y mente al final del día y es una actividad perfecta que bien merece una cena.

**Calentamiento:** 75 metros a un ritmo suave.

**Ejercicio:** Nade dos segmentos de 1.900 metros de ritmo suave a moderado; nade los primeros 1.900 un poquito más despacio que los siguientes. Descanse 1 minuto entre cada uno de los segmentos.

**Enfriamiento:** Nade 75 metros a ritmo suave.

## ▶ *ENTRENAMIENTOS DE CICLISMO (DISTANCIA OLÍMPICA)*

Es posible que no tenga mucho tiempo por la tarde para hacer ciclismo, ya que la oscuridad puede llegar a ser un problema. Siempre y cuando pueda recorrer una distancia o kilómetros de dos cifras, éste será un buen ejercicio con el que hacer el mejor uso de su tiempo que le ayudará a alcanzar su zona aeróbica para mejorar la resistencia.

**Calentamiento:** Cinco minutos de spinning con una marcha suave.

**Ejercicio:** De 19 a 24 kilómetros dentro de su zona de entrenamiento aeróbica y ritmo.

**Enfriamiento:** Cinco minutos con una marcha suave, luego estire tendones y piernas.

## ▶ *ENTRENAMIENTO DE CARRERA A PIE (SPRINT)*

Este ejercicio es relativamente corto y puede resultar ideal para hacer una carrera después de cenar porque los primeros 10 minutos se hacen a ritmo suave. No obstante, el corto intervalo de tiempo de la carrera le ayuda a sudar y a sentirse tan fuerte como si hubiera aumentado su nivel de condición física (nivel que sí ha alcanzado).

**Calentamiento:** Camine durante 5 minutos o corra muy despacio los primeros cinco minutos del ejercicio.

**Ejercicio:** Haga una carrera de 15 minutos: corra los 10 primeros a ritmo suave y los 5 últimos con un paso denominado tempo (en la página 94 del próximo capítulo se describe el paso tempo de la carrera a pie).

**Enfriamiento:** Camine durante 5 minutos o corra los últimos 5 minutos del ejercicio muy despacio.

# ENTRENAMIENTOS DE DESPLAZAMIENTO

Desplazarse por nuestro propio pie para llegar al lugar de trabajo es una de las soluciones más inteligentes e innovadoras para el poco tiempo del que disponemos, triatleta amigo del medio ambiente. Aunque no siempre sea para todos una solución realista, ir corriendo o en bici al trabajo puede ser una de las cosas más efectivas para entrenar de manera constante durante toda la semana de trabajo, si bien hay que sacrificar algo de tiempo (no dudo en absoluto que haya triatletas que se las han arreglado para ir nadando al trabajo, pero ahora me dirijo a la gran mayoría que no trabaja en un remolcador).

Lo que ahorre en gasolina, si va en coche al trabajo, puede incluso ayudarle a pagar ese nuevo pulsómetro o zapatillas de correr. Estará protegiendo el ecosistema y transmitiendo al resto su preocupación por el medio ambiente.

Ir en caravana mientras lo que le ha costado tanto ahorrar se esfuma por el tubo de escape le puede hacer empezar el día con mal pie, estresándole y cargándole de negativismo para cuando llegue a su destino. Ésta es la razón por la que cada vez más personas, incluso los no triatletas en búsqueda de otra alternativa mejor, han decidido desplazarse en bici. En tanto que la carrera a pie es una opción más limitada (obviamente depende mucho más de la distancia hasta el lugar de trabajo), desplazarse en bici se está convirtiendo en una solución más viable. Muchas ciudades están instalando los carriles bici u otras alternativas para animar a la gente a desplazarse sin coche (en bici o a pie).

Ir al trabajo en bici o corriendo repercute positivamente en su entrenamiento triatlón de muchas maneras:

- Tanto si se tri-desplaza una, dos o cinco veces a la semana, estas distancias contribuyen positivamente a su programa de entrenamiento en general, ya que estará añadiendo distancias que de algún otro modo le resultaría mucho más difícil ajustar en su horario.
- Al tri-desplazarse ahorra dinero en transporte. Ir en coche en EE. UU. puede costar unos 60 céntimos de dólar o más por cada 1,6 km, dependiendo de la zona, mientras que desplazarse con bici, teniendo en cuenta las reparaciones y mantenimiento, puede costar menos de 10 céntimos, ahorrándose miles de dólares cada año (Kifer, 2002).
- Puede reducir el estrés y llegar a la oficina o lugar de trabajo mentalmente fresco y cargado de energía.
- En algunos casos puede ahorrarse tiempo; dependiendo de la ruta que elija y la velocidad, si va en bici puede que llegue más rápido al trabajo.

## Preparación

Ir en bici o a pie al lugar de trabajo requiere algo de preparación previa y a menudo tendrá que probar con varios caminos para encontrar la mejor ruta. Compruebe los carriles-bici y senderos de su ciudad que le ofrezcan una ruta más directa que la del coche, tren o autobús. Tenga siempre en cuenta la posibilidad de que haya tráfico; lo mejor es elegir una ruta donde, aunque dé más vueltas, el tránsito de vehículos sea menos denso. Cuando se desplace por la calzada hasta el lugar de trabajo, en lo primero que tiene que pensar es en la seguridad. Si trabaja entre las 7 de la mañana y las 8 de la tarde, es posible que el desplazamiento le resulte menos agotador por la mañana que por la tarde (la hora punta siempre parece estar más congestionada al final del día). Pedalee con cuidado.

Puede que también quiera ir avanzando poco a poco con el tri-desplazamiento limitándolo en principio a una o dos veces por semana. Si su desplazamiento le exige demasiado en cuanto al terreno o la distancia (o ambos) que recorrer, podrá limitar estos ejercicios para evitar el sobreentrenamiento.

Si va a dos ruedas, asegúrese de tener la bici en óptimas condiciones y tenga al menos dos cámaras de repuesto más todo lo que puede necesitar a la hora de arreglar un pinchazo. Si es posible, cronometre sus desplazamientos para evitar la hora punta de tráfico. Le hará falta una mochila fuerte y resistente al agua para llevar la ropa de trabajo (a menos que disponga de una taquilla o alguna otra facilidad en su lugar de trabajo o en el gimnasio más cercano).

A la hora de escoger una ruta para ir corriendo a pie, la contaminación puede ser un problema. Las emisiones de los vehículos pueden ser muy perjudiciales para la salud cuando corra cerca de vías muy transitadas, así pues, busque los senderos que estén apartados del tráfico.

# Ejemplos de entrenamientos de desplazamiento

El ejercicio que haga cuando se desplace obviamente depende de la distancia y recorrido que haya elegido para ir al lugar de trabajo. Decidir el ritmo y la intensidad con la que llevará acabo su entrenamiento de desplazamiento dependerá en gran medida de sus metas semanales, su fase actual de preparación y la manera en que este tipo de ejercicio encaje con su otro entrenamiento triatlón. Las ideas para hacer un entrenamiento de desplazamiento son las que veremos a continuación (excepto la natación). No se ofrecen distancias para cada ejercicio, ya que éstos dependen de la distancia de desplazamiento.

## ▶ DESPLAZAMIENTO EN BICI

Realice el siguiente ejercicio como sesión de recuperación o entrenamiento para desarrollar su condición física. Permanecer en la zona aeróbica y de ritmo el máximo tiempo posible mejorará su resistencia en todos los sentidos.

**Calentamiento:** Pedalee con una marcha blanda.

**Ejercicio:** Para hacer un ejercicio de recuperación, pedalee a 90 rpm; para un ejercicio más duro, alcance su zona aeróbica y de ritmo y mantenga en ese punto su frecuencia cardiaca todo lo que pueda (la distancia dependerá del desplazamiento).

**Enfriamiento:** Pedalee durante 5 minutos con una marcha suave, luego estire tendones y piernas.

## ▶ DESPLAZAMIENTO CON CARRERA A PIE

Tanto si vive lo suficientemente cerca para ir corriendo todo el camino como si va haciendo footing desde la estación de tren hasta el lugar de trabajo, puede adaptar este ejercicio a cualquier modalidad que mejor se ajuste a su horario de entrenamiento. Utilice este ejercicio para recuperarse o hacer una sesión divertida de Fartlek que le ayudará a mejorar su velocidad y técnica.

**Calentamiento:** Camine durante 5 minutos o corra muy despacio los primeros 5 minutos del ejercicio.

**Ejercicio:** Corra a ritmo suave durante todo el trayecto (la distancia dependerá del desplazamiento) o bien ejercite la velocidad Fartlek y rompa a correr distancias cortas varias veces a la mitad de la carrera.

**Enfriamiento:** Camine durante 5 minutos o corra muy despacio los últimos 5 minutos del ejercicio.

# ENTRENAMIENTOS DE FIN DE SEMANA

Si, como la mayoría de la gente, trabaja usted de nueve de la mañana a cinco de la tarde, probablemente el fin de semana le resulte el mejor momento para hacer importantes y largas carreras ciclistas y a pie para entrenarse. Aun con todas las tareas del hogar, proyectos, recados y demás, puede que estos ejercicios tan importantes no sean más que oportunidades perdidas cuando compruebe el trabajo que ha hecho durante la semana, a menos que, como es obvio, tenga un programa sólido y lo ponga en práctica.

En cierto modo ponerse con los entrenamientos intensos del fin de semana requiere más autodisciplina que la del entrenamiento del resto de la semana. Los fines de semana le dan más oportunidades y libertades, y algunas veces es difícil decir no a los amigos y familia, y más aún a la tentación de saltarse la carrera de larga distancia del fin de semana y ver el partido de fútbol el domingo por la tarde.

Recuerde que la capacidad que tenga para organizar con éxito sus otras prioridades y poder llevar a cabo el entrenamiento de larga distancia, vital para alcanzar sus metas, tendrá el mayor impacto sobre su resistencia y por lo tanto en su capacidad de alcanzar los objetivos de su entrenamiento triatlón. Es tan simple como eso.

Los entrenamientos de fin de semana son ideales para hacer carreras ciclistas y carreras pedestres de larga distancia por muchas razones:

- La posibilidad de programar los bloques de tiempo más grandes para el entrenamiento del fin de semana le da la oportunidad de completar una distancia significativamente larga.
- Es más probable quedar con sus compañeros de entrenamiento el fin de semana, indispensable para poder completar largas carreras ciclistas y pedestres; ir acompañado hace que esos kilómetros se pasen volando.
- Disponer de más tiempo libre le permite hacer *bricks* (ciclismo y carrera a pie), lo que mejorará de manera considerable la transición de un segmento a otro en la carrera triatlón (siempre y cuando estas transiciones de bici a carrera pedestre sean rápidas).
- Las excursiones de fin de semana o de un solo día por los carriles de marcha al aire libre o por mejores calzadas ciclistas pueden ser unas escapadas mucho más importantes para el entrenamiento.

La comunicación es vital si necesita una buena parte del fin de semana para completar el entrenamiento. La familia y los amigos necesitan saber de antemano que el entrenamiento es una prioridad del fin de semana y que, a menos que tenga una relación muy estrecha con ellos, alcanzar su meta triatlón le exige lo que le dedica, incluso el estar mucho tiempo sobre el sillín de la bici o en el sendero de footing.

El tiempo de entrenamiento le resultará menos pesado con cortas distancias triatlón, ya que el entrenamiento le exigirá menos esfuerzo. No es de extrañar que necesite complementar sus ejercicios de entre semana con otros un poquito más largos durante el fin de semana. En cualquier caso, una vez que haya comunicado a sus seres queridos sus prioridades, el siguiente paso clave será distribuir su tiempo al entrenamiento, algo muy parecido a lo que haría si concertase una cita para ir al médico, veterinario o salón de peluquería.

Aunque los fines de semana le proporcionan flexibilidad, puede que quiera reconsiderar las mañanas como el mejor momento del día para entrenar el fin de semana. Los ejercicios matinales le concederán más tiempo para disfrutar con su familia y amigos (y para cortar el césped) el resto del día (sábado y domingo).

Como con todo, su entrenamiento, la preparación y la planificación son claves para hacer entrenamientos del fin de semana. En primer lugar, decida cuál es el mejor momento del día para entrenar el fin de semana y planifique ese espacio de tiempo. Segundo, asegúrese de que transmite su compromiso con el entrenamiento triatlón a la familia y los amigos más cercanos. También puede intentar que sus amigos y familia participen en él, por ejemplo, puede pedir a su cónyuge que monte en bici a su lado mientras hace su carrera a pie de larga distancia, o bien acople a la bici un carrito para poder llevar a los niños mientras recorre esa gran distancia en bici. Tercero, sea flexible y tenga un plan B por si las circunstancias le impiden entrenar. Y por último, considere hacer las distancias largas en bici los sábados y las carreras a pie los domingos, lo que simulará un triatlón de dos días con algo de tiempo para poder recuperarse entre los dos segmentos. Si decide hacer un *brick* bastante difícil los domingos, haga una marcha facilita en bici o piscina el sábado.

Literalmente cualquier ejercicio se puede hacer el fin de semana. Consulte los programas de entrenamiento de la tercera parte de este libro para ver una muestra de ejercicios de fin de semana dependiendo de la distancia de la carrera.

# ENTRENAMIENTOS EN GRUPO

Aunque no se tienen que basar necesariamente en el tiempo, vale la pena mencionar los entrenamientos en grupo como una buena alternativa al entrenamiento en solitario o con los mismos compañeros de entrenamiento. Incluir trabajo en grupo dentro de su horario de entrenamiento es una buena estrategia para gestionar el tiempo, puesto que siempre se llevan a cabo a una hora establecida. Como están fijados a una hora y fecha determinadas (normalmente durante el fin de semana) los ejercicios generales de entrenamiento, las marchas en bici organizadas por alguna tienda especializada, los clubes de corredores o carreras organizadas por otros establecimientos son citas estupendas para incluir en el calendario de entrenamiento y que complementan su preparación en solitario.

Los entrenamientos en grupo son también una manera inteligente de retarse a sí mismo. Es posible que se ponga a prueba en la piscina, en la calzada o en la pista, dependiendo de sus habilidades, disciplina y grupo con el que esté entrenando.

Los ejercicios en grupo pueden ser el empujón que necesita para mejorar su entrenamiento:

- Prácticamente puede usted planificar una parte considerable de su entrenamiento semanal con el trabajo en grupo (teniendo en cuenta que sean coherentes con su propio entrenamiento).
- Necesita hacerles un hueco en su horario. Normalmente se planifican para el momento del día viable de todos los miembros del grupo.
- Entrenar en grupo ayuda a que se pase rápido y sin esfuerzo una sesión bastante exigente; puede incluso que el tiempo (y la frecuencia cardiaca) alcancen su límite máximo durante la larga carrera en bici o a pie.
- Los seres humanos somos animales gregarios. Los aspectos sociales del grupo de entrenamiento pueden hacer que su experiencia triatlón le resulte más gratificante.

Aunque las ventajas del entrenamiento en grupo son reales, no hay que dejar de estar alerta. Éste no siempre satisface las necesidades individuales o coincide con sus habilidades y nivel de condición física. La mayoría de las sesiones «master» de natación, marchas en bici organizadas por alguna tienda especializada y clubes de corredores están compuestos por atletas con diferente nivel técnico y de condi-

*Hacer un ejercicio en grupo puede ser una buena alternativa al ejercicio individual, siempre y cuando cumpla con las necesidades de su entrenamiento personal.*

ción física. Incluso si hay una diferencia bastante grande entre el corredor más lento y el más rápido, suele haber una estructura que le permitirá posicionarse con el pelotón de la carrera, que tiene su misma velocidad y nivel de entrenamiento.

Por ejemplo, en la marcha en bici semanal que organice todos los miércoles por la tarde el grupo de ciclismo de la tienda de su localidad puede haber algunos ciclistas de primera o segunda categoría (ranking más alto de ciclista que participa en las carreras federales de EE. UU.) o los triatletas número uno de la localidad. Pero es posible que haya más de unos pocos corredores de pelotón y unos pocos ciclistas lúdicos en esa mezcla. Por lo general, el grupo se dividirá en distintos subgrupos según el nivel que alcance en algún momento durante la carrera, o bien la política de la tienda en cuestión puede exigir que todos los participantes permanezcan juntos por razones de seguridad. En este caso, el líder de la carrera puede hacer que todo el mundo tenga que esperar a los que se han quedado atrás varios intervalos de la carrera (lo que, hay que reconocerlo, puede resultar muy embarazoso si siempre es usted el rezagado).

Lo importante es decidir hacer el entrenamiento con un grupo (en cualquiera de las disciplinas) que encaje dentro del programa para alcanzar su meta triatlón y su plan general de entrenamiento. Esforzarse demasiado para simplemente guardar las apariencias y seguir el ritmo de sus compañeros, con diferentes niveles de entrenamiento, solamente le arrastrará hasta la extenuación y le abrirá las puertas para sufrir alguna lesión.

Asegúrese de consultar con el líder del ejercicio todas sus inquietudes y dudas, en particular si le preocupa tener que forzar su nivel físico actual. Por ejemplo, si se trata de una marcha en bici no organizada por una tienda especializada, ¿cómo sabrá cuál es el camino de vuelta si se queda atrás en el grupo? Si la distancia de una carrera a pie en grupo es demasiado corta o demasiado larga para su nivel actual de entrenamiento, ¿cuenta con la opción de correr dentro de un grupo más lento o de reducir el ritmo en la carrera? La mayoría de los entrenamientos en grupo se diseñan para recurrir a una gran variedad de capacidades, pero resolver de antemano sus dudas le ayudará a sentirse más cómodo en los primeros ejercicios.

Para dar con grupos de natación en su localidad, puede a través de su club o de la Federación informarse sobre las clases «master» de natación. Para las marchas en bici, visite algún local particular de ciclismo de su área e infórmese sobre las posibles marchas semanales en grupo; asegúrese de que también pueden participar triatletas de su mismo nivel. Póngase en contacto con algunas tiendas de deportes especializadas o clubes locales para informarse sobre las carreras semanales en grupo o en pista.

**Nota:** Llegue siempre con tiempo al punto de encuentro de entrenamiento en grupo, especialmente si es una marcha en bici. Concédase el tiempo suficiente para inflar las cubiertas, engrasar la cadena y poner a punto su equipo (lo último que quiere provocar es que un grupo de ciclistas se enfaden por tener que esperarle).

# CAPÍTULO 6

# Entrenamientos clave

Estoy seguro de que alguna vez ha completado usted una sesión de entrenamiento realmente buena, una con la que después haya adquirido toda la confianza necesaria con la que dar grandes pasos y llegar hasta donde necesitaba para alcanzar la meta de su carrera triatlón. Tanto si esa meta era la distancia, la intensidad o una fuerte combinación de ambas, éstos parecían ensombrecer sus otros entrenamientos.

No es que cada sesión de trabajo no sea importante. El efecto acumulativo de cientos de carreras kilométricas en bici y a pie y los miles de metros que hacemos en la piscina son el resultado final que se refleja en la condición física. Incluso una pequeña carrera de recuperación a pie de 3,2 kilómetros o una marcha a paso lento en bici con su cónyuge tienen la ventaja de consolidar los beneficios de los ejercicios más difíciles, ayudándole a eliminar el ácido láctico y a mantener los músculos relajados. A menos que entrene sin ningún propósito, no hay cosa peor que tirar a la basura los metros y kilómetros recorridos.

Sin embargo, hay algunas sesiones de trabajo que producen un efecto catalítico (de aceleración) en su capacidad para nadar, montar en bici y correr más rápido o durante más tiempo. El entrenamiento cronometrado de manera adecuada y realizado con la intensidad y la distancia apropiadas para cumplir las exigencias de la meta de la carrera es lo que produce tales resultados. La clave es entrenar.

En este capítulo veremos el método para realizar entrenamientos clave y discutiremos cómo le puede ayudar a gestionar su tiempo triatlón y a aumentar la eficacia de la preparación.

## QUÉ SON LOS ENTRENAMIENTOS CLAVE

La veintitrés veces campeona de categoría Ironman Paula Newby-Fraser utiliza innumerables veces la colocación *entrenamientos clave* en su libro *Peak Fitness for Women* (Newby-Fraser, 1995). Como cualquier triatleta o apasionado del deporte con un alto nivel de condición física, Paula Fraser siempre se ha ceñido al tiempo cuando ha tenido que adecuarse a todo el entrenamiento que consideraba necesario para poder competir profesionalmente. Mientras que muchos de sus contrincantes se concentraban únicamente en recorrer durante semanas espeluznantes marchas en bici de 800 kilómetros y matadoras carreras a pie de 32 kilómetros que hubieran enviado cojeando incluso al tri-enganchado más duro al congelador para coger una bolsa de hielo, ella vio una manera mejor.

Paula se dio cuenta de que había unos pocos triatletas que parecían siempre conseguir sus metas. Corrían bien y, lo más importante, nunca parecían estar cansados o lesionados. Se percató de que los regímenes de entrenamiento de cada uno de ellos tenían algo en común. Lo más importante no era sólo salir fuera y recorrer esas distancias, sino también era el realizar una serie de ejercicios especialmente intensos que reflejasen sus metas personales de rendimiento.

Tras años de pruebas y fracasos, Paula se dio cuenta de que había aprovechado al máximo su tiempo y entrenamiento al simular las condiciones y la intensidad de cada competición tanto como pudiera en una serie de entrenamiento específicos. Algunas de estas condiciones simuladas abarcaban el terreno, transiciones, las capacidades técnicas e incluso la alimentación e hidratación.

Basándose en sus propias conclusiones y en una docena de entrevistas hechas a sus colegas profesionales, Paula desarrolló un método de entrenamientos clave que ponía en práctica un ejercicio crucial para el entrenamiento semanal, además de otros ejercicios indicados para la fase de recuperación. Aunque con excepciones, realizar con mayor frecuencia estos ejercicios tan exigentes a la semana parecía mejorar muy poco el rendimiento y poner a prueba al cuerpo más allá de su capacidad para poder recuperarse.

Si utiliza usted en su entrenamiento este método de ejercicios clave, se dará cuenta de que hay tres o cuatro sesiones (de ejercicios) que debería considerar como el punto central de su horario de entrenamiento semanal, normalmente un ejercicio en cada una de las tres disciplinas del triatlón. Este conjunto de sesiones serán la mejor manera de medir su nivel de condición física y con el test de ácido láctico podrá evaluar su velocidad, resistencia y fuerza. Después de realizar un entrenamiento clave, tendrá que ser capaz de calcular con precisión el punto en el que se encuentra su baremo de rendimiento. Algunos triatletas calculan el nivel de su rendimiento según los metros o kilómetros que recorren, pero hay que tener en cuenta que la distancia final por sí misma puede camuflar sus carencias, como la falta de velocidad, resistencia o fuerza. Los entrenamientos clave se deben realizar con una intensidad o distancia (o ambas) que, si se llevan a cabo correctamente, le proporcionarán una manera exacta de medir su nivel físico actual.

Los entrenamientos clave dependen en gran medida de una constante y previa planificación y modificación semanal de su preparación. Aunque esto sirve para cualquiera de ellos, los entrenamientos clave se deben realizar con una cierta intensidad y distancia bastante significativas, por lo que es vital que los planifique junto con el resto del trabajo para evitar el sobreentrenamiento. Sentarse al final de la semana para programar los siguientes siete días de entrenamiento es importantísimo para tener éxito en cada uno de ellos, ya que estas tres o cuatro sesiones son indicadoras de su baremo de rendimiento y constituyen la guía de actuación para la semana próxima.

Como con toda su preparación, la composición de sus entrenamientos clave depende enormemente de la fase de entrenamiento general en la que usted se encuentre. Por ejemplo, la natación, ciclismo y carrera a pie que realice durante el entrenamiento básico, cuando su principal preocupación es solidificar una base de resistencia física y mental, es un trabajo exclusivamente basado en la distancia que tiene que recorrer con poca intensidad y con algún o ningún intervalo. Planificar su trabajo semana tras semana dentro de su amplio calendario de entrenamiento de temporada garantiza que sus entrenamiento clave vayan en la misma línea que la meta de su entrenamiento.

A continuación veremos el método de entrenamiento clave en cada una de las tres disciplinas y presentaremos algunos ejemplos de ejercicios que podría usted incluir sin que por ello tenga problemas a la hora de cuadrar su programa de entrenamiento personal. En la natación se incluyen los ejercicios correctivos como el componente por antonomasia de los ejercicios clave, ya que este deporte se basa principalmente en adquirir una buena técnica para poder mejorar en esta disciplina.

## ENTRENAMIENTOS CLAVE DE NATACIÓN

La mayoría de los triatletas empiezan con una buena base de resistencia deportiva; la mayor parte de su experiencia la adquieren de la carrera a pie. Como muchos triatletas, de completar durante unos cuantos años una docena de maratones me pasé a probar con los multideportes. En ellos percibí un nuevo reto y una mejor manera de permanecer en buena forma física y libre de lesiones durante el entrenamiento cruzado. La natación resultó ser la única disciplina que más me ponía a prueba, porque casi no desarrollaba mi capacidad de resistencia. Era un problema de técnica. De hecho, el error en el que caen muchos triatletas a la hora de planificar su entrenamiento triatlón se puede atribuir a la idea general que tienen para mejorar en la disciplina de ciclismo y carrera a pie: cuanto más corra, mejor. A pesar del alto rigor técnico propio de la natación, la brazada, movimiento de piernas, giro de cabeza, posición horizontal del cuerpo, respiración, movimiento de cadera y otros tantos factores técnicos no implica que realizarlos durante más tiempo garantice unos resultados.

Como el revés del tenis que puede hacerle ganar tantos o un golpe de golf perder el equilibrio, nadar con una mala técnica solamente le servirá como garantía para aprender a nadar mal durante más tiempo. Y aún peor, entrenar constantemente con una técnica de natación pobre arraigará esa carencia en su memoria muscular.

La técnica es tan importante porque los entrenamientos clave deben centrarse siempre en combinar estos ejercicios de corrección técnica y el entrenamiento de intervalos. Los intervalos son varios arranques de velocidad que se realizan durante un corto período de tiempo y con una intensidad de normal a elevada en una distancia determinada y con un espacio de tiempo específico de recuperación entre los intervalos o repeticiones. Los intervalos están diseñados expresamente para preparar a su cuerpo en los diferentes niveles de natación (ciclismo y carrera, tal como veremos en el próximo capítulo) a un ritmo más rápido con una técnica mejorada y una resistencia más elevada. Para los nadadores menos experimentados, los ejercicios que sirven para desarrollar una buena técnica deberían formar parte de sus entrenamientos durante las primeras fases, como lo hace el entrenamiento base. Los nadadores más experimentados con habilidades sólidas necesitan trabajar fundamentalmente el intervalo en el entrenamiento, aunque también se beneficiarán de los ejercicios que lleven a cabo de vez en cuando para mantener una técnica fresca y eficaz.

Mathew Luebbers, entrenador superior del equipo de natación de los Marine Corps Semper Fit Aquatics Okinawa Dolphins* en Japón, recomienda combinar los entrenamientos específicos y clave para mejorar la técnica en natación. Su programa de triatlón se concentra en los entrenamientos clave de natación donde incluye la simulación de la carrera, el perfeccionamiento de la técnica, una velocidad sostenible y el tiempo necesario para recuperarse después del ejercicio. «Perfeccione la técnica, entrene para ir más rápido, trabaje una buena técnica mientras nada más rápido, pero nunca por separado. Todos ellos en su conjunto son importantes», dice el entrenador.

La mejora conseguida en el nivel de técnica se puede manifestar en al menos dos formas: podrá nadar una determinada distancia con el mismo tiempo y con menos brazadas o nadar una determinada distancia con el mismo número de brazadas pero en menos tiempo. Ambos progresos son positivos.

## Entrenamientos de natación para mejorar la técnica

Si la natación es con lo que menos vinculado está, posiblemente sea en buena parte porque puede faltarle una buena técnica de natación. Lo bueno es que la técnica es algo que usted mismo puede manipular. Lo malo es que, dependiendo del tiempo que haya estado nadando con esa mala calidad de la brazada o mal equilibrio del tronco en la piscina, puede suponer un gran esfuerzo prolongado el poder eliminar esos malos hábitos y remplazarlos por los buenos.

El truco está en convertir esos ejercicios de natación en una parte habitual de sus entrenamiemtos. Puede incluso utilizar un conjunto de ejercicios como calentamiento y enfriamiento (vuelta a la calma) en sus ejercicios de intervalos o para nadar largas distancias. Esta fuerte combinación hace que su entrenamiento sea más competente y eficaz. La clave está en hacer cada uno de los ejercicios con regularidad hasta que los domine y pueda pasar a realizar otros. No se desanime, la natación es una actividad muy técnica. Hay que ser perseverante, paciente y darse tiempo para que todo ese trabajo se traduzca en más minutos y segundos que restar a la carrera de natación.

Los entrenamientos que veremos a continuación, facilitados por el entrenador Mathew Luebbers, le ayudarán a mejorar la técnica de natación, aumentando su confian-

---

* Traducción al español: *Siempre en forma Delfines Acuáticos de Okinawa del Cuerpo de Marines estadounidense. (N. de la T.)*

za y comodidad en aguas abiertas. Los nadadores más experimentados suelen decir que el segmento de natación de un triatlón no es muy corto que digamos, mientras que los nadadores ocasionales opinan justo lo contrario. Según el entrenador Mathew, esta disparidad de opiniones tiene mucho que ver con el buen nivel técnico del nadador, y no necesariamente con su nivel de condición física.

Los ejercicios de natación son una actividad específica que se hace repetitivamente para estar en plena forma. Le pueden servir para ser más rápido y obtener más resultados. A continuación veremos algunos de mis favoritos.

## ▶ *BRAZADA CORRECTIVA DE CROL*

Con este ejercicio correctivo haremos la brazada utilizando un solo brazo para aumentar la longitud de la brazada y la posición del cuerpo. Nade con un estilo libre, teniendo en cuenta que un brazo no puede moverse, y extienda el brazo mirando siempre hacia el punto de llegada (con el brazo en posición estática) mientras que con el otro hace la brazada (brazo en movimiento). Cuando el brazo en movimiento se desplace hacia delante y se ponga a la misma altura que el brazo en posición estática, repita la misma operación con el otro brazo.

Modalidades:

* **Brazada correctiva 3/4.** Es igual que la brazada correctiva normal, pero en este caso el brazo extendido que se mantiene estático empieza a trabajar o a moverse antes de que el otro brazo en movimiento se ponga por completo a su altura. El brazo estático comienza a moverse después de que el brazo en movimiento haya rotado tres cuartos de la distancia total de la braza.

* **Brazada correctiva con tabla.** Es igual que la brazada correctiva normal, sólo que aquí la mano del brazo extendido sujeta una tabla y mientras que alternamos los papeles de los dos brazos, la mano de la tabla se la cede a la otra. Con la tabla puede trabajar cada vez un brazo, lo que le ayudará a determinar con exactitud cualquier deficiencia técnica mientras intercambia la tabla de la mano del brazo estático a la mano del brazo en movimiento.

## ▶ *RESISTENCIA DE LA BRAZADA DE RECUPERACIÓN*

Con este ejercicio correctivo ejercitará la elevación del codo del brazo de recuperación de la brazada y corregirá la posición de la mano durante la recuperación del brazo en movimiento. Utilice un estilo de natación libre y evite que las yemas de los dedos salgan del agua mientras su brazo avanza en la brazada de recuperación. Arrastre hacia delante los dedos en el agua, ligeramente alejados del tronco y concéntrese en mover el cuerpo manteniendo los codos hacia arriba. Alterne las partes de la mano que están sumergidas: dedos, mano, muñeca e incluso todo el antebrazo.

## ▶ *PUÑOS*

Este ejercicio le despertará la pasión por el agua, ya que le ayudará a sintonizar cómo la manera de ahuecar la mano puede influir en la rapidez para impulsarse hacia delante. Utilice un estilo de brazada libre, pero cierre una o las dos manos en un puño en lugar de arquear la mano como lo haría normalmente. Alterne el método y el número de brazadas con las que cierra las manos en un puño. Cuando abra poco a poco las manos debería notar la diferencia de tensión de tener la mano cerrada; utilice esta sensación para ajustar el modo de ahuecar las manos cuando las sumerge en el agua mientras completa la brazada. Cuando apriete los puños también debería intentar golpear el agua con la parte interna del antebrazo (desde el codo hasta la muñeca). No olvide prestar atención al movimiento del cuerpo.

## ▶ *BRAZADA CON UN SOLO BRAZO*

Con este ejercicio correctivo trabajará únicamente un solo brazo cada vez. Nade con estilo libre, pero sólo con el brazo que utilice para la brazada. Mantenga el otro en posición estática, lo puede estirar hacia delante (mano hacia delante) o lo puede pegar al cuerpo (mano hacia atrás). La mano en movimiento lleva a cabo una serie de brazadas; antes de alternar las funciones de cada brazo realice una brazada completa. Realice este ejercicio con el brazo estático en las dos posiciones (brazo delante y brazo pegado al cuerpo). Cuando el brazo que no realiza la brazada está pegado al cuerpo, respire en ese lado (en el lado contrario del brazo en movimiento). Cuando el brazo en posición estática esté estirado hacia delante, respire en el lado contrario (en el lado del brazo en movimiento). De nuevo, cronometre la respiración para que mientras su cuerpo gira, su cabeza gire al mismo tiempo que respira con el objetivo de que la posición de la cabeza mire de nuevo hacia delante.

*Los entrenamientos clave de natación que combinan técnica y entrenamiento de intervalos le convertirán en un fuerte competidor acuático.*

# Ejemplos de entrenamientos clave de natación

Este apartado contiene entrenamientos clave de natación del entrenador Mathew Luebbers, que se clasifican dentro de siete categorías distintas. Cada categoría se centra en distintos aspectos de la natación cruciales para tener éxito en un triatlón. Estas categorías se describen a continuación y se detallan además algunos ejemplos específicos de entrenamientos para diferentes distancias (consulte los capítulos 8, 9, 10 y 11 para ver los ejercicios de natación de las distancias triatlón más largas).

## ▶ EJERCITAR LA MENTE

Este ejercicio requiere mucha concentración, porque su principal objetivo es mantener el ritmo mientras se alcanza un buen nivel técnico. Aunque suena fácil, mantener el mismo ritmo durante todo el recorrido (distancia) puede constituir un reto técnica y mentalmente, pero realmente vale la pena obtener sus beneficios en el día de la carrera. La velocidad marcada como objetivo es el ritmo normal de la carrera o incluso un ritmo más lento, pero siempre manteniendo la misma velocidad durante todo el recorrido a nado.

**Frecuencia.** De 2 a 3 semanas.

**Ejemplo de ejercicio (sprint).** Nade 750 metros a un ritmo constante, sostenible y sin parar. El tiempo total que utilice para recorrer esa distancia debería reducirse según vaya mejorando su condición física; lo que también puede suceder es que no varíe ese tiempo total de la distancia, pero, sin embargo, es posible que se sienta más fuerte al final de cada intervalo, lo que indica un buen nivel técnico. Si quiere prolongar el ejercicio, añada de 100 a 300 metros hasta que complete toda la distancia de la carrera triatlón.

## ▶ SIMULACIÓN DE LA CARRERA

Cada carrera tiene distintos ciclos de intensidad en cada una de las tres disciplinas, y la natación no es ninguna excepción. Este ejercicio está diseñado para simular una salida rápida (algunas veces de alta intensidad), manteniendo después un ritmo normal y constante en los metros centrales, y aumentando ligeramente el ritmo al final de la carrera, que es cuando por lo general estaría más ansioso de llegar a la orilla. Éste es un ejercicio muy suave, pero este tipo de simulaciones le prepararán para lo que realmente importa: la carrera triatlón de natación. La velocidad marcada como objetivo establece el ritmo de la carrera.

**Frecuencia.** De 4 a 6 semanas.

**Ejemplo de entrenamiento (distancia olímpica).** Nade 1.500 metros a distinto ritmo para simular el principio, la mitad y el final de la carrera. Nade las primeras 50 brazadas de normal a alta intensidad; en el medio de la carrera mantenga una intensidad moderada; y en la parte final nade a un ritmo con una intensidad de moderada a alta (no tan rápido como las primeras 50 brazadas). Al final de este ejercicio, compruebe cuál es su frecuencia cardiaca; de nuevo, mire cuál es la frecuencia cardiaca en 30, 60 y 90 segundos. Según vaya mejorando su condición física, su frecuencia cardiaca debería disminuir o bien el tiempo total del ejercicio debería ser menor.

## ▶ *TÉCNICA DE GOLF*

Con este ejercicio podrá reducir el número total de brazadas si se ciñe a las reglas que rigen el golf, con lo que conseguirá un ejercicio más divertido para mejorar su técnica. Utilice distintas velocidades, de ir más lento a sostener un ritmo más rápido que el del triatlón, así podrá ejercitar el ritmo de la brazada, la distancia de la brazada y demás. Según vaya ganando experiencia, podrá pasar a realizar una brazada más técnica o nadar con un ritmo de carrera o bien nadar un poquito más lento al principio en la salida de la carrera y más rápido al final.

**Frecuencia.** Todas las semanas.

**Ejemplo de entrenamiento (media-Ironman).** Nade 10 × 25 ó 50 metros restando de 15 a 30 segundos entre los largos y la longitud de la brazada en cada largo. Sume el número total de brazadas y el tiempo que tarda en segundos. El objetivo de este ejercicio es disminuir el total de metros para cada 25 ó 50 metros dentro de cada ejercicio según vayan pasando las semanas de entrenamiento.

## ▶ *RITMO ESTABLE DE CARRERA*

Estos ejercicios se han diseñado con el objetivo de acondicionar su nivel de condición física a lo que realmente necesita para terminar el segmento de natación sin dejar de sentirse fuerte. La velocidad marcada como objetivo sirve para mantener el ritmo de la carrera y solidificar la experiencia adquirida al variar la velocidad entre cada segmento.

**Frecuencia.** De 1 a 2 semanas.

**Ejemplo de entrenamiento (Ironman).** Divida la distancia de la carrera en dos partes (2 × 1.900 metros). Nade el primer intervalo con una intensidad de moderada a alta para reducir el tiempo del segundo intervalo. Descanse durante un minuto y compruebe su recuperación cada 20 segundos. Si su frecuencia cardiaca no disminuye, siga descansando y comprobándola cada 20 segundos hasta que empiece a disminuir, luego espere otros 20 segundos antes de empezar el segundo intervalo del ejercicio. Cuando vaya aumentando su condición física, intente nadar cada segmento con el mismo ritmo y luego intente reducir el descanso entre cada segmento. No intente hacer estas dos cosas a la vez. Céntrese en aumentar el ritmo solamente en el primer segmento.

## ▶ *MANTENER EL RITMO*

Este ejercicio es bastante exigente y le ayudará a solidificar los resultados que beneficien su nivel de condición física al mismo tiempo que intenta adquirir un buen nivel técnico. La velocidad marcada como objetivo es poder ir lo más rápido posible intentando mantenerla en todas las repeticiones.

**Frecuencia.** De 2 a 4 semanas.

**Ejemplo de entrenamiento (distancia olímpica).** Nade 10 × 50 metros descansando 10 segundos entre cada intervalo y manteniendo un ritmo lo más rápido posible. Mantenga la misma velocidad en cada uno de los intervalos, su objetivo es sentirse como si fuera capaz de hacer uno o dos intervalos más, pero no más de dos, una vez haya acabado los intervalos. Al final del recorrido, compruebe su frecuencia cardiaca; hágalo de nuevo en 30, 60 y 90 segundos. Según vaya mejorando su condición física, su frecuencia cardiaca debería disminuir más rápido o bien el tiempo total del ejercicio debería disminuir.

## ▶ *CUENTA ATRÁS*

Si empieza a nadar con la distancia del intervalo más largo y con un ritmo lento para después pasar a nadar el intervalo más corto con un ritmo más rápido, se dará cuenta de cómo una buena técnica puede mejorar su velocidad. Su meta en este ejercicio es calcular el ritmo medio de la carrera empezando con un ritmo lento al principio y acabando con un ritmo más rápido para que esa variación de velocidad sea menor con la experiencia durante la carrera.

**Frecuencia.** De 4 a 6 semanas.

**Ejemplo de entrenamiento (media-Ironman).** Nade 1.900 metros repartidos en 550, 450, 350, 250, 150, 100 y 50 metros. Descanse 20 segundos entre cada segmento. Cuanto menor sea el segmento, más rápido tendrá que nadar. Si quiere prolongar el ejercicio, intente reducir el tiempo total que tarda en recorrer la distancia total del recorrido a nado.

## ▶ *DURO-SUAVE-DURO*

Estos entrenamientos incluyen un intervalo de recuperación entre los grandes esfuerzos realizados para mantener un ritmo rápido con el objetivo de mejorar su resistencia física durante la carrera. La velocidad marcada como objetivo es ir tan rápido como pueda en estas cuatro series seguidas. La velocidad puede disminuir de 5 a 10 segundos desde la primera hasta la última serie y desde la última hasta la octava, pero si esa disminución es bastante perceptible, su velocidad es excelente.

**Frecuencia.** De 1 a 2 semanas.

**Ejemplo de entrenamiento (sprint o distancia olímpica).** Nade $4 \times 50$ metros a un ritmo rápido y sostenible; $2 \times 50$ metros con ritmo muy lento con el objetivo de perfeccionar la técnica, descansando siempre de 30 a 60 segundos entre cada intervalo. Al final del último segmento, compruebe su frecuencia cardiaca; y de nuevo en 30, 60 y 90 segundos. Según vaya aumentando su nivel de condición física, los intervalos donde vaya más rápido deberán ser más rápidos aún, y su frecuencia cardiaca debería recuperarse antes.

# ENTRENAMIENTOS CLAVE DE CICLISMO

Los aficionados al triatlón suelen subestimar el segmento de ciclismo. Es sin lugar a dudas la parte más importante de un triatlón, y no sólo porque sea por lo general el recorrido más largo. Un error sobre la bici puede hacer que baje muy rápido su posición en la carrera. Pero lo que muchos triatletas no tienen en cuenta es lo peligroso que puede llegar a ser el carecer de un nivel de condición física apropiado para ciclismo o cómo el fallar de manera estratégica (el ir por ejemplo con una marcha demasiado dura) puede influir en el éxito de la carrera.

Cuando empecé a competir en triatlones, Guillermo, mi amigo de toda la vida y compañero de equipo, competía de vez en cuando conmigo en las carreras 10K, media maratón y maratón, y siempre me ganaba, sobre todo en las largas distancias. Sin embargo, a menudo solía aprender lo mejor de él en cada triatlón. Nuestro nivel en natación era el mismo porque habíamos aprendido al mismo tiempo como adultos a nadar bien, especialmente para competir en triatlones, y ambos empezamos desde cero. Pero Guillermo siempre gravitaba en la carrera a pie mientras que yo utilizaba la mayor parte de mi entrenamiento para el ciclismo.

Puede que usted piense que los resultados de mis comienzos con la bici se esfumaban en la carrera a pie; sin embargo, la fuerza de Guillermo en la carrera a pie inevitablemente no le servía para nada a la hora de recuperarse de todo el cansancio de sus piernas. Mientras que en los maratones me perseguía hasta alcanzarme en pocos kilómetros, la carrera a pie en los triatlones con unas piernas descansadas y en forma me permitía mantenerme en pie y minimizar cualquier triunfo que Guillermo me hubiera arrebatado.

Una de mis fotos preferidas de cuando he participado en alguna carrera es de hace años en el triatlón de Chicago en la que aparezco a metros de la meta. En vez de estar deseando llegar a la meta, en la foto salgo mirando atrás, intentando ver si Guillermo venía justo detrás de mí. Mi amigo de toda la vida estaba a kilómetros detrás porque había subestimado la importancia de un buen entrenamiento ciclista.

Tanto si se considera usted el rey del pedal o si está entre los malditos en el segmento ciclista del triatlón, centrarse en algunos ejercicios clave no sólo le ayudará a aumentar el ritmo en la carrera, sino que también le ayudará a comenzar sin problemas con unas piernas frescas para hacer una gran carrera. El ciclismo ofrece al triatleta diferentes opciones de entrenamiento. Puede utilizar distintas variables, como el grado de dificultad de un recorrido, ritmo y distancia, para poder satisfacer sus necesidades individuales de entrenamiento. También hay herramientas muy buenas que nos pueden ayudar, como los rodillos de entrenamiento, con los que realmente mejorará su técnica para obtener una potencia más eficaz cuando esté sobre la bici.

Steven Truesdale, entrenador de ciclismo del servicio de asesoramiento y entrenamiento del Colorado Performance Coaching, ha identificado ciertos entrenamientos clave que practicados de manera constante han proporcionado a los triatletas que él mismo entrena unos beneficios de rendimiento bastante significativos. A continuación veremos algunos de estos entrenamientos clave en ciclismo para varias distancias.

Estas sesiones de trabajo son bastante exigentes y organizadas por distancias mejorarán no sólo su condición física, sino también su técnica de pedaleo. A pesar de no ser tan importante como en la natación, la técnica del pedaleo tiene un papel fundamental en un triatlón por la relevancia que adquiere la conservación de la energía. Una técnica pobre en el pedaleo puede hacer que gaste más energía de la necesaria, y lo más importante, puede provocarle lesiones de rodilla y de espalda. A continuación podrá ver una buena combinación de entrenamientos basados en la técnica y, sin lugar a dudas, algunas carreras en bici bastante desafiantes para llevar a cabo.

**Nota:** Algunos de los ejercicios que veremos a continuación hacen referencia a las rpm (revoluciones por minuto), por lo que le hará falta un monitor de ciclismo *(cycling computer)* que también mida la cadencia.

# Sprint o distancia olímpica

Para los triatletas que estén entrenando para el sprint o distancia olímpica hay tres ejercicios de ciclismo muy importantes que considero claves del entrenamiento y que pueden realizar en cualquier momento de mínimo y máximo rendimiento del entrenamiento. Dos de estos ejercicios que se centran en la técnica son relativamente fáciles, así que puede considerarlos como ejercicios clave de su entrenamiento y repetirlos cada semana.

## ▶ *ENTRENAMIENTO DE FRECUENCIA CARDIACA (SPRINT O DISTANCIA OLÍMPICA)*

Durante los triatlones de distancia sprint, el segmento de ciclismo es más corto y puede realizarse con una intensidad muy alta, si el corredor está bien preparado. Éste es un buen ejercicio corto e intenso diseñado para aumentar su resistencia anaeróbica y zona de recuperación. Se puede practicar tanto en carretera como en cintas para correr.

**Calentamiento:** Pedalee durante 15 minutos a un ritmo tranquilo con aproximadamente 90 rpm aumentando gradualmente la frecuencia cardiaca desde su zona de recuperación y resistencia hasta su zona aeróbica y tempo.

**Ejercicio:** Haga de 4 a 6 intervalos con una intensidad muy elevada para aumentar el límite máximo de su zona de umbral anaeróbico. El primer intervalo debería ser de 2 minutos. Aumente los siguientes intervalos de 30 segundos a 4 minutos. Descanse 1 minuto entre los intervalos o bien el tiempo suficiente para que su frecuencia cardiaca se recupere y disminuya hasta su zona aeróbica y tempo.

**Enfriamiento:** Pedalee de 10 a 15 minutos con un spinning de recuperación a ritmo suave dentro de su zona de recuperación y resistencia.

## ▶ *ENTRENAMIENTOS DE EFICACIA DEL PEDALEO*

Para los nuevos triatletas que estén preparándose para una carrera sprint, la eficacia del pedaleo suele ser un área del entrenamiento que les demanda mucha atención. La técnica de pedalear bien y el aumento de la eficacia del pedaleo permiten maximizar la potencia y velocidad del corredor. Este ejercicio se ha diseñado para mejorar la eficacia del pedaleo y la suavidad con la que se perpetúe, capacidad clave del ciclista para todos los niveles. Se puede hacer en casa en una bici estática o bien en la calzada de una carretera larga y llana.

**Calentamiento:** Pedalee despacio y con un ritmo suave de 10 a 15 minutos con unas 80 rpm en las que se sienta cómodo.

**Ejercicio:** Elija una marcha de suave a moderada que le permita pedalear con unas rpm elevadas. Cuando supere los 30 segundos aumente poco a poco las rpm de 80 hasta todo lo que pueda sin dar botes en el sillín. Mantenga estas rpm de 5 a 10 segundos y luego descanse durante 1 minuto. Repita este ejercicio 5 a 10 veces con unas rpm elevadas. Mientras hace este ejercicio correctivo, intente concentrarse mientras esté sobre el sillín en su estilo propio de pedaleo que sea suave y eficaz y evite mover demasiado el cuerpo de cintura para arriba. Cuando se encuentre más cómodo dentro de un pedaleo de muchas rpm, intente mantenerse ahí todo lo que pueda.

**Enfriamiento:** Acabe el ejercicio con 10 minutos de recuperación a ritmo muy suave.

## ▶ ENTRENAMIENTO CON RODILLO DE ENTRENAMIENTO

Este es un entrenamiento de habilidad adecuado para todos los ciclistas, pero en especial para los nuevos que no están familiarizados con la técnica del pedaleo. Tanto si es por las circunstancias que hacen que fracase o que tenga éxito en pedalear utilizando rodillos de entrenamiento, este ejercicio aumentará su competencia técnica en el pedaleo, la suavidad y confianza en general para hacer ciclismo.

En el caso de que no esté familiarizado con los rodillos de entrenamiento, hay que decir que son un tipo de herramienta de entrenamiento donde la bici se coloca en dos rodillos pequeños con tambores de 40,64 centímetros de diámetro que giran en unos cojinetes. Esos tambores están unidos a una estructura. La rueda delantera gira a la misma velocidad que la rueda trasera porque el tambor delantero está unido al trasero con una correa de transmisión de goma enganchada a uno de los rodillos traseros. El ciclista tiene que mantener una posición erguida debido a la acción giroscópica de las ruedas (igual que hacer ciclismo en la carretera). Puede encontrar rodillos de entrenamiento sencillos de venta en Internet por tan sólo 100 euros.

Muchos ciclistas al principio encuentran difícil entrenar con los rodillos, así que para empezar es mejor que los sitúe cerca de una puerta para que con una mano pueda apoyarse al marco de la puerta mientras se sube y se estabiliza en la bici. Móntese en la bici apretando un freno para evitar que las ruedas giren. Una vez que se haya sentado, con una mano apoyada en el marco de la puerta y la otra en el freno, pedalee despacio para hacer girar las ruedas. Siga pedaleando suavemente y manteniendo el equilibrio. Una vez que le haya cogido el truco, montar en bici con los rodillos será algo natural y conseguirá pedalear de manera más suave y de forma más eficaz cuando esté en la carretera.

**Calentamiento y ejercicio para comenzar.** Una vez que sea capaz de subirse a la bici y pedalear durante un corto período de tiempo y sin balancearse de izquierda a derecha con el rodillo delantero, quite la mano del marco de la puerta y póngala en el manillar. Mantenga la vista hacia delante, manteniendo la vista en la dirección de la bici y siga pedaleando suavemente. En poco tiempo dominará la técnica, así que siga intentándolo. Entrene hasta que pueda hacer 10 minutos en línea recta sobre los rodillos. Es posible que esto sea todo lo que pueda hacer al principio y que abarque todo el ejercicio, así que no se desanime, para adquirir esta habilidad hace falta mucha paciencia y tiempo.

**Ejercicios posteriores.** Cuando ya domine 10 minutos sobre la bici en los rodillos de entrenamiento, piense en moverlos al centro de la habitación poniendo una silla al lado para subir a la bici. Luego pedalee mientras pone las manos en los manillares. Intente coger el botellín de agua de la bici y cambiar las marchas de duras a blandas (de 70 a 90 rpm). Trabaje en esto hasta que pueda pedalear en los rodillos de manera suave y durante 30 minutos, cambiando de marchas, de peso y beba del botellín con una sola mano. Después de un par de semanas será capaz de hacer ciclismo sobre los rodillos de manera suave y eficaz. Puesto que los tambores son muy anchos, pedalee suavemente, con calma y de forma eficaz para no caerse de los rodillos. Montar con los rodillos de entrenamiento aumentará la suavidad de su pedaleo convirtiéndole en un ciclista más rápido y competente.

**Enfriamiento.** Pedalee en la bici sobre los rodillos a un ritmo suave y tranquilo de 5 a 10 minutos.

# Distancia olímpica o media-Ironman

Los triatletas que estén entrenando para carreras de distancia olímpica o media-Ironman tienen dos entrenamientos de ciclismo muy importantes que son clave en las 8-12 semanas previas a la preparación de la carrera. Se pueden hacer todas las semanas, una vez a la semana, como trabajo clave de ciclismo.

## ▶ *ENTRENAMIENTO DE VELOCIDAD*

Éste es un ejercicio ideal para hacer entre semana y que se ha diseñado para fortalecer una buena cadencia del pedaleo mientras trabajamos la potencia. Puede realizarlo en casa en una bicicleta estática o escabullirse de la oficina para hacer una marcha en bici a la hora de comer.

**Calentamiento:** Monte en bici aproximadamente a 90 rpm, aumentando su ritmo cardiaco poco a poco desde su zona de recuperación y resistencia hasta su zona aeróbica y tempo.

**Ejercicio:** Monte en bici durante 60 minutos o menos si es a la hora de comer. Haga de 5 a 10 sprints de 30 segundos cada uno. Para cada sprint, empiece con una marcha dura a pocas rpm (unas 70) y desate su fuerza para alcanzar un sprint de muchas rpm. No se preocupe por la frecuencia cardiaca, de hecho, ni mire su monitor (puede asustarle). Recupérese bien entre cada sprint.

**Enfriamiento:** Haga spinning de 10 a 15 minutos a ritmo suave a modo de recuperación.

## ▶ *ENTRENAMIENTO DE RESISTENCIA*

Este ejercicio constituye la marcha en bici más larga de la semana con la que trabajamos la resistencia. Se ha diseñado para mejorar la resistencia aeróbica y muscular. Encuentre el mejor momento para montar en bici de 2 a 3 horas simulando de algún modo la ruta de la carrera.

**Calentamiento:** Monte en bici de 20 a 30 minutos con un ritmo suave a aproximadamente 90 rpm.

**Ejercicio:** Manténgase en su zona aeróbica y tempo de 90 a 120 minutos. Permanezca con el tronco en posición horizontal todo el tiempo que pueda y únicamente bájese de la bici en períodos cortos mientras sube cuestas. Tenga cuidado en no estar demasiado tiempo en la parte más alta de su zona de entrenamiento que se haya marcado como objetivo y evite por completo entrar en la zona anaeróbica.

**Enfriamiento:** Termine el ejercicio con 15-20 minutos de enfriamiento en sus zonas de recuperación y resistencia.

# Ironman

Para los triatletas que estén entrenando para una carrera Ironman hay dos entrenamientos de ciclismo que son clave en las 10-12 semanas de preparación previas a la carrera en las que se tiene que reducir el entrenamiento: un entrenamiento en cuesta y un bloque de simulación de carrera. Veremos el primero en este mismo apartado. La simulación de simulación de la carrera lo veremos en la página 111 del próximo capítulo. Estos ejercicios se pueden hacer en sábados alternos, dependiendo de su horario, como mínimo debe hacer cinco veces cada uno mientras está en la fase de entrenamiento de máximo rendimiento y antes de reducir su entrenamiento para la carrera.

## ▶ *ENTRENAMIENTO EN CUESTA*

El entrenamiento para recorrer una distancia con cuestas es largo y combina las distintas funciones de otros ejercicios diseñados para mejorar la zona aeróbica con la resistencia muscular y potencia. Planifíquese un recorrido con cuestas, preferiblemente uno en el que no empezaría a subir ninguna cuesta significativa hasta los 60-90 minutos después de haber empezado. Reserve 4 horas o incluso más para realizar este ejercicio, dependiendo de su condición física, horario y el tiempo que le quede hasta el día de la carrera. Aunque es mucho tiempo el que tiene que utilizar, es un ejercicio típico para recorrer una distancia triatlón. Aún así sigue siendo eficaz en el sentido que el recorrido y la intensidad a mediados de la carrera le proporcionan un método estupendo para mejorar su condición física y la fuerza de sus piernas. Cuanto más se acerque a realizar una carrera de distancia Ironman, más largo debería ser este entrenamiento. Si lo quiere hacer más largo, repita la fase 2 y la fase 3 del ejercicio. Ésta es una marcha en bici ideal para entrenar en grupo, invite a sus colegas.

**Calentamiento:** Pedalee con un ritmo lento y suave con aproximadamente 90 rpm. Pedalee con un intensidad baja e hidrátese y coma (a pesar de no tener sed o hambre).

**Fase 1:** Aumente un poco la intensidad del pedaleo y manténgase en la parte más alta de su zona de recuperación y resistencia y en la parte más baja de su zona aeróbica y tempo utilizando de un 70 a 80% de su frecuencia cardiaca máxima. Al final de esta fase debería estar en la base de la cuesta.

**Fase 2:** Divida el ascenso en tres partes, cada una de 20 minutos de la hora total que le supondría el ascenso. En los primeros 20 minutos pedalee con una marcha suave y entre dentro de su zona aeróbica y tempo. Luego recupérese y empiece la segunda ascensión con una intensidad moderada. Ponga una marcha suave que le permita ir relativamente despacio sintiéndose cómodo con las rpm, por ejemplo de 65 a 70 rpm. A continuación suba la cuesta con una marcha dura durante 3 × 6 minutos esforzándose para alcanzar su zona de umbral anaeróbico. En los últimos 20 minutos repita lo mismo que en los primeros 20 minutos, descendiendo hasta su zona aeróbica y tempo. Hidrátese y siga comiendo.

**Fase 3:** Pedalee hasta casa en la última hora del ejercicio con su ritmo de carrera. Evite ir con un esfuerzo de alta intensidad. Pedalee con ritmo constante y con fuerza y mantenga unas rpm elevadas.

**Enfriamiento:** Haga una marcha de 30 minutos a un ritmo muy suave.

# ENTRENAMIENTOS CLAVE DE CARRERA A PIE

Si alguna vez ha leído, invertido o charlado con algún experto en Bolsa, es posible que a menudo haya escuchado esto: «diversificar, diversificar y diversificar el mercado». Una cartera de valores saludable que minimice los riegos y maximice las ganancias suele ser la que contiene una mezcla equilibrada de inversiones.

Del mismo modo, si quiere arrojar algunos dividendos de su condición física y obtener buenas ganancias en cuanto al tiempo de la carrera, tiene que diversificar su entrenamiento triatlón y asegurarse de que obtiene de sus ejercicios clave un método equilibrado para conseguir la condición física que le exige la carrera a pie. Igual que una cartera de valores incluye una mezcla de inversiones de carácter conservador, moderado y liberal (agresiva), su entrenamiento de carrera a pie debe incluir una combinación de ejercicios que desarrollen su resistencia (en todos los sentidos), velocidad y capacidad de recuperación.

Si la carrera a pie es un área de su entrenamiento triatlón donde necesita centrarse y mejorar, las buenas noticias son que hay muchas formas que le pueden ayudar a aumentar su velocidad. Puede que resulte un reto el enfrentarse a estos ejercicios que le forzarán a abandonar su zona de entrenamiento con la que más a gusto se encuentre a la hora de entrenar y que le obligue a trabajar con una intensidad a la que puede no estar acostumbrado. Los ejercicios de la carrera a pie, como los intervalos e incluso las carreras tempo que veremos en este apartado, no son fáciles, pero, con el tiempo, aumentarán su capacidad para ir más y más rápido.

Preste especial atención a su técnica, sobre todo en las carreras largas o de alta intensidad. Cuando se encuentre fatigado, es fácil que pierda la forma física que necesita. Mantener una buena forma física cuando esté bajo tensión es una habilidad mental que puede aplicar en cualquiera de las disciplinas de triatlón y es una buena habilidad para dominar. Si se ve en la situación de desplomarse cuando corra con torpeza o cuesta abajo como si hubiera perdido el control, practique esta técnica con la que recuperar su forma física. Visualice la carrera como si estuviera corriendo los primeros 1.600 metros. Cada vez más rápido irá reconociendo los momentos en los que su forma física empeora y será capaz de recuperarse en el mismo transcurso de la carrera.

No hay mejor sensación durante una carrera que volar en los últimos kilómetros del recorrido triatlón y correr con fuerza hasta la meta. Los siguientes entrenamientos están diseñados para ayudarle a realizar todo esto. A continuación encontrará las directrices que necesita para asegurarse de planificar cada ejercicio clave de la carrera en cuanto a la frecuencia y distancia para obtener los mejores resultados. Por ejemplo, utilice el porcentaje de la distancia semanal para determinar los kilómetros o metros que debería correr en cada tipo de ejercicio específico. Una vez que haya hecho esto, podrá determinar cuántos ejercicios de cada tipo a la semana puede hacer y planificar de manera adecuada dentro de su calendario de entrenamiento.

## ► CARRERA DE LARGA DISTANCIA A PASO LENTO (LD-PS)

**Ritmo.** Lento: llevar un paso en el que pueda respirar sin ninguna dificultad y pueda mantener una conversación simple.

**Porcentaje de la distancia semanal.** Del 25 al 40 por ciento.

**Beneficio.** Resistencia.

Si hace este entrenamiento una vez a la semana podrá realizar carreras de larga distancia a un ritmo suave con una intensidad con la que se sienta cómodo o bien a un ritmo rápido con el que se encuentre a gusto (¿me ha salido un oxímoron?). Corra con un paso que pueda mantener durante una o dos horas sin que le resulte difícil respirar. Es posible que haya oído hablar del "test del habla" y que la capacidad para mantener una conversación sea en realidad un buen indicador de que lleva a cabo un paso apropiado para la carrera de larga distancia a paso lento.

Debería trabajar con lo que constituya el 60-70 por ciento de su máximo esfuerzo. Esta intensidad, acompañada con largos esfuerzos continuos, es ideal para mejorar el funcionamiento del sistema cardiovascular, favoreciendo el riego sanguíneo en los músculos activos y mejorando la fuerza y la condición física en general.

## ► CARRERA A TEMPO

**Ritmo.** Moderado.

**Porcentaje de la distancia semanal.** Del 20 al 30 por ciento.

**Beneficio.** Resistencia física.

La carrera tempo es aquella que se realiza a un ritmo muy rápido y que puede mantener de 20 a 30 minutos, 15-20 segundos más lenta que su ritmo más rápido en una de 10 km. El objetivo de las carreras tempo es llevar a su cuerpo al límite de lo que se llama su umbral de ácido láctico, el punto que se sobrepasa cuando el ácido láctico en sangre empieza a acumularse a un ritmo más rápido.

Puede haber experimentado alguna vez que su umbral de ácido láctico sobrepasara este punto al subir una cuesta o bien al hacer un ejercicio en una máquina de subir escaleras y ha podido sentir la sensación de quemazón en los muslos. Las carreras tempo están diseñadas para aumentar su umbral más y más para que finalmente su cuerpo sea capaz de seguir un paso más rápido en la carrera sin tener que acumular ácido láctico.

Las carreras tempo fuerzan su cuerpo hasta cierto punto (ni más ni menos). No olvide que las cuestas, las sesiones ocasionales de footing y un viento fuerte pueden afectar a la intensidad con la que corra, así que intente hacer estas carreras sobre un recorrido llano y plano. Dependiendo de su nivel de condición física, haga uno o dos de estos ejercicios a la semana.

## ▶ ENTRENAMIENTO DE INTERVALOS O DE VELOCIDAD

**Ritmo.** Elevado.

**Porcentaje de la distancia semanal.** Del 10 al 20 por ciento.

**Beneficios.** Velocidad.

Las carreras de intervalos son cortos arranques de velocidad que se realizan dentro de un período de tiempo determinado (por lo general, en pista de atletismo) con períodos de recuperación entre cada intervalo tanto si se anda como si se hace jogging, no importa lo que sea. Lo más importante es que se dé el tiempo suficiente para recuperarse entre los intervalos. Un intervalo de recuperación de proporción 1:1 suele ser lo habitual.

El propósito de esta carrera de intervalos es coger el máximo oxígeno posible. Las carreras más rápidas enseñan a nuestro cuerpo a ser más eficaz biomecánicamente hablando. Un ejercicio de intervalos a la semana es muy completo y debería incorporarlo en su horario unos días antes y después de recuperarse.

Se pueden hacer muchos tipos de ejercicios de intervalos, cada uno debería indicar su nivel de condición física. En caso de dudas, sea cauteloso y empiece despacio con dos o tres intervalos de 400 metros cada uno, corriendo con el paso más rápido de su carrera de 5 km, con una etapa de recuperación entre cada gran esfuerzo que realice. Puede añadir un intervalo por semana y dejar fluir su creatividad con los ejercicios posteriores, corriendo las llamadas pirámides o quizás hacer una carrera de relevos con un grupo de corredores. Trabajar los intervalos es una parte tan importante del entrenamiento que en el próximo capítulo será el punto central que trataremos con todo detalle.

Una vez que haya alcanzado un buen nivel de condición física puede añadir otro día al entrenamiento para trabajar la velocidad, pero intente hacerlo fuera de la pista de atletismo. Una buen alternativa es hacer una carrera tempo con algunos arranques espontáneos de velocidad de alta intensidad descritos en el capítulo anterior como la carrera *Fartlek* o juego de velocidad.

## ▶ CARRERAS DE RECUPERACIÓN, ENTRENAMIENTO CRUZADO O DÍA LIBRE DE ENTRENAMIENTO

**Ritmo.** Lento.

**Porcentaje de la distancia semanal.** Del 10 al 20 por ciento.

**Beneficios.** Recuperación.

Después de un ejercicio especialmente duro, tanto si ha sido cualquiera de los ejercicios que acabamos de ver como si no, piense en hacer una carrera de corta o media distancia a ritmo tranquilo y relajado. Mejor aún, haga un día de ciclismo facilito o nade unos cuantos largos en la piscina que pueden hacer maravillas para rejuvenecer su cuerpo después de toda la semana de entrenamiento. Si se siente particularmente desganado o fatigado, lo mejor es cogerse un día libre.

# CAPÍTULO 7

# Entrenamientos basados en la regla 80/20

E l entrenamiento triatlón es como cualquier otra cosa en la vida: cuanto mejor sea su capacidad para centrarse en lo que es más importante, mayor será su éxito. La capacidad que tenga para realizar los ejercicios más difíciles que le aporten los mejores resultados es la que tiene un impacto más directo y drástico en su condición física, técnica y finalmente en los resultados de su carrera. Estos ejercicios son sólo un 20 por ciento más o menos de su régimen total de entrenamiento, pero es posible que sean los responsables del 80 por ciento de su condición y resistencia física, potencia y habilidades técnicas.

¿Por qué son estos ejercicios tan eficaces? Porque en la mayoría de los casos los realiza con un nivel alto de intensidad, duración, o ambas, lo que le ayuda a obtener grandes beneficios para su condición física en general y su capacidad para rendir al máximo en un triatlón. Los ejercicios basados en la regla 80/20 que se centran en las deficiencias técnicas del deporte que practique son eficaces porque le retan para reforzar los fallos que pueda cometer a la hora de realizar sus ejercicios o en la disciplina deportiva que le pueda causar más daño durante un triatlón.

Mientras que en el capítulo anterior vimos detalladamente distintos entrenamientos claves que planificar semanalmente en cada una de las tres disciplinas, en este capítulo veremos unos cuantos de ellos examinados bajo lupa para un mejor escrutinio. Cualquiera de éstos puede considerarse clave (en el capítulo anterior se ha hablado de los intervalos y ahora se seguirá con ellos profundizando un poco más). Algunos pueden ser demasiado rígidos para poder terminarlos cada semana. Unos están diseñados en relación con la distancia de la carrera y las partes más difíciles específicas del recorrido, mientras que otros están determinados por la disciplina en la que más flaquee o en la que carezca de una buena técnica. Todos ellos son armas fundamentales en su arsenal de entrenamiento y debería utilizarlas en los espacios de tiempo estratégicos de su programa.

Planificar los ejercicios 80/20 de forma estratégica es garantía de que incluye aquellos que le ayudan a mejorar su técnica y reforzar sus debilidades al principio de su entrenamiento de temporada, preferiblemente mientras se va creando su entrenamiento base. También implica planificar los huecos dentro de su entrenamiento de temporada en los que incluir bloques de trabajo y otros entrenamientos exigentes, que aprenderá a hacer en este capítulo y que le ayudarán a obtener el máximo rendimiento en el día de la carrera, pero que también le concederán el tiempo que necesita para recuperarse.

# INTERVALOS

Los intervalos, conocidos también como repeticiones, son arranques de velocidad durante un corto espacio de tiempo repetidos en una distancia determinada con el tiempo suficiente para recuperarse entre cada uno de ellos. Como he dicho en el capítulo anterior, los intervalos son un elemento clave del entrenamiento de natación y de la carrera a pie. En este capítulo profundizaremos más en los ejercicios 80/20 de la carrera a pie y aprenderemos también cómo aplicar este entrenamiento de intervalos al ciclismo.

El corredor de élite y escritor Jeff Galloway una vez escribió que «los intervalos se basan en un principio muy simple: la única manera de correr más rápido es correr más rápido» (Galloway, 1984). Aunque esto es totalmente cierto, existen también otras directrices específicas para realizar el entrenamiento de intervalos que le puedan ayudar a evitar lesiones y a sacar el máximo provecho del duro trabajo que realice.

- **Primero, el entrenamiento de base.** Nunca empiece un ejercicio de velocidad sin tener una base sólida de entrenamiento constante de carrera a pie que haya adquirido con los años. Los intervalos son muy exigentes y pueden ser realmente duros con su cuerpo, así que es importante que haya desarrollado la fuerza muscular y solidez articular necesarias para poder sostener tal esfuerzo.

- **Establézcase una referencia basal en una prueba cronometrada.** Una buena idea para empezar el entrenamiento de intervalos es establecer una referencia de su rendimiento que le diga en qué punto se encuentra en este momento para poder medir las mejoras de velocidad cuando salga a la carretera. Para establecer una referencia basal con una prueba cronometrada, caliente 3,2 kilómetros a un ritmo suave en una pista de atletismo que sea al menos de 400 metros para que no tenga que estar constantemente dando la vuelta. Corra 1,6 kilómetros en una carrera cronometrada a ritmo rápido y que pueda sostener durante todo el ejercicio. Cronométrese (o que alguien le cronometre). Para recuperarse, corra otros 3,2 kilómetros a ritmo suave. Asegúrese de que anota el tiempo que ha tardado en hacer esa prueba cronometrada (sin tener en cuenta la distancia del calentamiento o recuperación) en el diario de entrenamiento. Una vez al mes, repita estas pruebas con distancias de 1,6 kilómetros. Debería ver los avances constantes y que se pueden medir que conseguirá con ellas.

• **Entrene para su distancia.** El entrenamiento de intervalos para la distancia Ironman es muy diferente a la sprint. Por ejemplo, si se está entrenando para un triatlón Ironman, debería correr intervalos de 800 y 1.600 metros, o ambos. Con este régimen de ejercicios desarrolla su resistencia y mejora su forma física para distancias más largas. Para distancias olímpicas y sprints, la sesión de ejercicios debería ser una combinación de repeticiones de 800 y 400 metros.

• **Intervalos intercalados con ejercicios suaves.** La velocidad le requiere mucho esfuerzo, así que necesita estar relativamente fresco para ponerse con ella y realizar ejercicios suaves durante un día o dos en los días posteriores.

• **Base su velocidad en los mejores tiempos de la carrera del segmento pedestre.** La mayoría de los intervalos se hacen en tres distancias: 400, 800 y 1.600 metros. ¿A qué velocidad debería realizarlos? Debería sentir como si la carrera le empujara hasta el límite de su esfuerzo, pero es mejor que sea cauteloso. Si se siente completamente exhausto, disminuya la velocidad. Para hacer un intervalo de 400 metros corra de 5 a 7 segundos más rápido que el ritmo de sus carreras 5K-10K. Para hacer un intervalo de 1.600 metros, corra con el ritmo de sus carreras 5K-10K.

• **Aumente los intervalos de forma gradual.** La primera vez que esté en la pista de atletismo (una vez que haya calentado apropiadamente y haya establecido un punto de referencia dentro de un tiempo determinado como hemos dicho antes) deberá empezar solamente con una o dos repeticiones. Puede incluso sonar como si al principio fuera un ejercicio fácil o corto, pero es mejor que tenga cuidado. Aumente poco a poco el número de intervalos según la distancia de la carrera y según su meta.

• **No pierda de vista su forma física.** La tendencia de algunos triatletas es disminuir su forma física de la carrera a pie después de una carrera ciclista larga y dura. Los ejercicios de pista son ideales para centrarse en su forma física y esforzarse para mantener su cuerpo bajo control mientras realiza esfuerzos de alta intensidad durante mucho tiempo. Al igual que la técnica adecuada en natación, una buena forma física para llevar a cabo la carrera a pie le ayudará a ser más eficaz y evitar lesiones con una buena biomecánica. Si nota que corre de forma rara o ve que sus pies no le responden bien en la pista durante la última media hora del ejercicio de intervalos, aminore y corra de forma más suave y sin realizar esfuerzo alguno.

• **Céntrese en realizar intervalos constantes.** Los intervalos hechos apropiadamente ayudan a su cuerpo a adaptarse a un duro esfuerzo durante un tiempo prolongado en la carrera a pie de un triatlón. Cuando digo «apropiadamente» me refiero a un ritmo constante en todos los intervalos. Si la diferencia entre los intervalos supera los 5 segundos, probablemente vaya demasiado rápido en los primeros que realice. Necesita ajustar el reloj interior que regula su ritmo en la carrera, lo que es por sí mismo una valiosa capacidad individual para poner en práctica durante cualquier evento de carrera.

## ▶ *EJEMPLO DE ENTRENAMIENTO DE INTERVALOS DE CARRERA A PIE-DISTANCIA OLÍMPICA*

Llegue preparado a la pista de atletismo para hacer un ejercicio duro y lleve mucho líquido para poder hidratarse como es debido. Debería haber entrenado un día con ejercicios fáciles o descansado dos para sentirse fresco y listo para hacer una carrera difícil.

**Calentamiento:** Corra de 1,6 a 3,2 kilómetros en la pista de atletismo con un paso suave de conversación.

**Fase 1:** Corra dos intervalos de 400 metros de 5 a 7 segundos más rápido que el paso medio de su carrera 10K, asegúrese de que se recupera por completo entre cada intervalo.

**Fase 2:** Corra un intervalo de 800 metros con el paso de su carrera 5K, luego recupérese.

**Fase 3:** Corra uno o dos intervalos (dependiendo de su condición física) de 400 metros más rápido que su ritmo medio de la carrera 10K y recupérese entre cada intervalo.

**Enfriamiento:** Corra 1,6 kilómetros en la pista y luego camine 800 metros.

**Modificaciones:** Si es nuevo en los intervalos de pista, una buena modificación que hacer sería simplemente saltarse la fase 2 (intervalos de 800 metros).

Aunque los atletas suelen asociar casi siempre los intervalos de carrera a pie con la pista de atletismo, puede utilizar este tipo de ejercicio de velocidad tan fácil como si estuviera sobre la bici y obtener grandes resultados. Los ciclistas profesionales han sabido durante décadas que la pista no siempre es imprescindible para hacer un ejercicio de intervalos.

## ▶ *EJEMPLO DE ENTRENAMIENTO CICLISTA DE INTERVALOS-SPRINT O DISTANCIA OLÍMPICA*

Según el entrenador Steven Truesdale, el siguiente ejercicio está diseñado para mejorar la resistencia física, aumentar el umbral de ácido láctico y desarrollar la potencia. Este ejercicio constituye un entrenamiento básico que todos los corredores de pequeñas y medias distancias deberían hacer con el objetivo de desarrollar sus capacidades más importantes que necesiten potencia en las carreras cuyo recorrido dure de 30 a 60 minutos. Realice este ejercicio en una ruta llana y cronometrada (sin paradas) o en una bicicleta estática.

**Calentamiento:** Monte en bici durante 15 minutos a aproximadamente 90 rpm y a muy baja intensidad.

**Ejercicio:** Pedalee cinco intervalos de 5 minutos cada uno con un paso moderadamente duro que pueda sostener durante 30 minutos. Recupérese por completo reduciendo el paso a moderado entre los intervalos.

**Enfriamiento:** Pedalee de 15 a 20 minutos a un ritmo suave.

**Ejercicios posteriores:** Añada 1 minuto por semana en cada intervalo hasta que pueda mantener 5 intervalos de 10 minutos con el mismo ritmo moderadamente duro que ya hemos descrito.

# CUESTAS

George Sheehan, en su libro *Personal Best*, compara vívidamente una carrera a pie como una pelea de perros, una batalla que le hace competir contra uno de sus grupos de edad y contra un tercero: la cuesta del recorrido.

> Justo antes de llegar a la cuesta le dejo atrás y me sitúo en el segundo puesto dentro de mi grupo de edad. Es un momento muy pequeño en el que saboreas el triunfo. De repente la cuesta empieza a exigir de forma urgente que mi cuerpo reaccione. Las piernas me pesan y me duelen. La respiración se vuelve jadeante. Mi cuerpo se ha doblado casi el doble. En la batalla se cambian las tornas. Se vuelve contra mí. Mi voluntad se debate en un duelo con mi mente y mi cuerpo. Una lucha contra esa parte de mi ser que quiere parar de correr (Sheehan, 1989).

Cada uno de nosotros, alguna vez, nos hemos topado con cuestas como ésa. Aunque yo vivo en una parte del país que es relativamente llana, siempre he visto oportunidades para desarrollar la potencia de la carrera a pie en recorridos empinados o para aumentar la fuerza de las piernas con ejercicios de intervalos realizados sobre la bici. Ya sea con los ejercicios de intervalos en la bici como con los de subir cuestas en una carrera a pie, los ejercicios de potencia arrojan grandes dividendos a nuestra mente y a nuestro espíritu.

¿Por qué correr a pie o subir cuestas en bici? Aparte de los obvios beneficios cardiovasculares que tiene, existen otros muy importantes en el entrenamiento de fuerza y que se pueden traducir en pura potencia mientras realizamos un sprint y hasta que llegamos a la meta. Correr a pie o subir cuestas en bici es un excelente ejercicio para trabajar los grupos principales de músculos que pueden por lo general ser más débiles, como los músculos flexores de la pierna. Bajar cuestas en la carrera a pie aumenta tanto la coordinación como fortalece los cuádriceps que son tan importantes en la realización del ejercicio.

No obstante, como cualquier tipo de nueva herramienta de entrenamiento, los ejercicios de cuestas deberían hacerse con precaución. Sin una base física adecuada, una ruta segura y una técnica para subir cuestas a pie o en bici puede sufrir lesiones, como periostitis tibial, dolor en los músculos de la pantorrilla (gemelos) y dolor en las rodillas. Los párrafos que veremos a continuación le proporcionarán consejos técnicos para que sus ejercicios de cuestas sean seguros y efectivos.

## Subir cuestas en bici

Si su intención es subir muchas cuestas en bici o si vive en una parte del país donde es inevitable encontrárselas en el camino, lo primero que necesita hacer es considerar el incorporar a su bici pedales automáticos. Será capaz de lograr un mejor rendimiento cuando suba la cuesta con cada pedaleo trabajando los 360 grados

*Las cuestas son una forma de reto personal y una oportunidad para aumentar nuestra potencia.*

completos del rango de movimiento. Y lo más importante, con los pedales automáticos podrá levantarse del sillín en cada pedaleo. Otra nota: No permita que una bicicleta mal cuidada le retrase; lubrique y limpie la transmisión y asegúrese de que las cubiertas están infladas con la presión correcta.

La técnica para ascender recorridos empinados es importante cuando vayamos en bici. Estos consejos rápidos le servirán de ayuda:

- Utilice una marcha con la que pueda seguir un buen ritmo; cámbiela tanto como necesite cuando ascienda una cuesta.
- Mantenga relajado el tronco; evite agarrarse demasiado fuerte a los manillares.
- Conserve la energía: manténgase sentando sobre el sillín y levántese sólo cuando necesite estirarse o subir algunas cuestas muy empinadas.
- Si tiene que levantarse del sillín cuando esté en una cuesta muy empinada, aproveche la potencia de los manillares y mézase hacia delante y hacia atrás.
- No se olvide de respirar; recuerde: permanezca relajado.
- Establezca un ritmo con el que piense que pueda mantener durante toda la ascensión de la cuesta.
- Abra bien los ojos para evitar los baches y obstáculos; anticipe los giros cuando baje cuestas a gran velocidad.

---

### ▶ *EJEMPLO DE ENTRENAMIENTO PARA SUBIR CUESTAS EN BICI*

Este entrenamiento de Steven Truesdale está diseñado para mejorar la función de sus sistemas de ácido láctico y anaeróbico; desarrollar las funciones musculares; aumentar el volumen del latido, controlar la produción ácido láctico en sangre; y mejorar su condición física. Según el entrenador Steven, estos ejercicios se realizan mejor después de haberse creado un entrenamiento base con la condición física necesaria para hacer frente a ejercicios de más intensidad. Realice este ejercicio de potencia en una ruta con una o más cuestas largas.

**Calentamiento:** Pedalee a aproximadamente 90 rpm durante 15 minutos con muy poca intensidad.

**Ejercicio:** Haga cuatro intervalos de dos minutos cada uno en una cuesta de alta intensidad sin levantarse del sillín, seguido de un gran esfuerzo (un ataque), pedaleando 30 minutos levantado del sillín. Recupérese por completo entre cada intervalo.

**Enfriamiento:** Pedalee suavemente de 15 a 20 minutos.

## Subir cuestas en carrera a pie

Lo primero que tiene que decidir es si es usted un corredor que sube o baja mejor las cuestas. ¿Le suelen dejar atrás siempre en las ascensiones de un recorrido empinado y sólo gana distancia cuando baja esa cuesta? ¿O todos los participantes de la competición le pasan a toda velocidad mientras se arrastra cuesta abajo?

Para ser un buen corredor de cuestas que suba igual que baje concéntrese en sus partes débiles. Pero siempre tenga en cuenta que cuando va cuesta abajo necesita menos oxígeno. Si no es un buen corredor de ascensiones y se ve envuelto dentro de una situación de la carrera determinada, puede que quiera concentrarse en ganar terreno cuesta abajo.

A continuación verá algunos consejos para mejorar la técnica cuando corra cuesta arriba:

- Márquese un ritmo que se base en la distancia de la cuesta hacia arriba.
- Acorte la zancada.
- Apóyese en la cuesta.
- Mantenga los brazos en una posición baja para equilibrarse mejor.
- Mueva los brazos (pero no exagere el movimiento).

Cuando corra cuesta abajo, haga lo siguiente:

- Aumente la zancada.
- No frene (a menos que tenga que hacerlo).
- Mantenga los brazos en una posición más alta para equilibrarse mejor.
- Relájese y evite ponerse tenso.

Según vaya dominando más y más la carrera a pie tanto al subir como al bajar cuestas en la ruta que más le guste y que le constituya un reto o en un recorrido empinado por la carretera, lo más probable es que los ejercicios sobre suelo llano le resulten pan comido. Lo mejor de todo, estará preparado para correr el segmento de la carrera a pie de un triatlón empinado y tendrá además energía extra para dejar atrás la némesis de su grupo de edad en la próxima carrera.

## ▶ *EJEMPLO DE ENTRENAMIENTO PARA CORRER EN CUESTAS*

Lo ideal sería que hiciera este ejercicio en un recorrido con el que pueda calentar de 1,6 a 3,2 kilómetros sobre suelo llano. Lo mejor es una ruta con muchas cuestas. Si le es imposible, puede que tenga que repetir una y otra vez un par de cuestas del recorrido.

**Calentamiento:** Corra sobre suelo llano con un ritmo suave durante 15 minutos.

**Ejercicio:** Según vaya acercándose a las cuestas, calcule la inclinación y la distancia para ajustar el paso. Céntrese en mantener un paso firme que pueda llevar mientras sube la cuesta. Ponga su cuerpo en una buena posición para correr cuestas, inclinándose hacia delante y utilizando los brazos para equilibrarse e impulsarse. Según vaya llegando a la cima, recupérese corriendo suavemente y despacio o, si enseguida viene el descenso, corra cuesta abajo manteniendo una posición correcta del cuerpo. Empiece corriendo sólo dos cuestas y vaya aumentando poco a poco el ejercicio hasta seis cuestas (añadiendo una cuesta cada 2 a 3 semanas).

**Enfriamiento:** Corra a un ritmo suave de 15 a 20 minutos.

# Cómo estructurar sus entrenamientos de potencia en cuestas

La mejor manera de correr o hacer un entrenamiento de potencia en bici y en cuesta simplemente se consigue con una ruta que nos proporcione estos retos gravitacionales en una distancia media, como una carrera a pie de 9,7 kilómetros o una marcha en bici de 48. Lo ideal sería que un ejercicio difícil se pudiese empezar después de hacer un calentamiento apropiado de 1,6 a 3,2 kilómetros para una carrera a pie o de 15 minutos para una marcha en bici.

Si no encuentra esta ruta, intente dar con una o dos cuestas moderadas por la zona donde suela entrenar. Incluso donde yo vivo, en las praderas de Illinois, EE.UU., hay carreteras empinadas y otras opciones para correr cuestas, aunque uno tiene que desviarse de su camino para poder encontrarlas. Los buenos sitios donde buscar para correr bien en cuestas son los parques o las reservas forestales. En este caso, puede que tenga que estructurar sus ejercicios como intervalos de pista utilizando la única cuesta o cuestas que haya como repeticiones teniendo que dar la vuelta para continuarlas.

Como con los entrenamientos de pista, no le apetecerá correr demasiadas cuestas, especialmente si no ha hecho este tipo de entrenamiento durante algún tiempo. Tanto si dispone de una buena ruta con cuestas por los alrededores, como si tiene que buscar una o dos cuestas para poder utilizarlas como repeticiones, empiece a un ritmo suave y con no más de dos ascensos. Añada poco a poco una subida cada semana.

## *BLOQUES DE SOBRECARGA*

A menudo se dice que todos los triatlones se vienen abajo en la carrera a pie. Yo no estoy de acuerdo. Aunque es verdad que tiene que ser un buen corredor para competir como triatleta, también tiene que bajarse de la bici con las piernas sin haberlas forzado más allá de sus propias posibilidades a la hora de correr. Esto es una lección que muchos triatletas no aprenden. Aunque la mayoría de los triatlones acaban con una carrera a pie, no importa lo buen corredor que sea si no adapta la carrera en bici una vez que tenga los pies en el suelo.

Los bloques intentan simular dos partes de un triatlón al combinar dos deportes en un solo ejercicio, como nadar inmediatamente seguido de una marcha en bici o, lo que es más común, montar en bici seguido de una carrera a pie. Los bloques compuestos por natación más bici pueden ayudarle con la transición a la bici si se siente invadido por esa sensación hormigueante en las piernas una vez que haya acabado el segmento de natación. Sin embargo, a continuación nos centraremos en un aspecto fundamental del triatlón, la llamada transición T2 de bici a carrera a pie.

Los bloques no sólo ayudan a su cuerpo a adaptarse a la rigidez de la transición de un deporte a otro, sino que también le aventaja psicológicamente. Mientras que otros intentan salir torpemente del agua o hacer una mortífera carrera a pie, usted irá aventajado en su paso y con una sonrisa en la cara. Vale, puede que no se sienta tan bien, pero con una dosis regular de bloques de sobrecarga seguro que obtendrá mucho éxito en su temporada de triatlón.

Los ejercicios que simulan la transición de la bici a la carrera a pie pueden requerir un gran esfuerzo y compromiso por su parte, así que es importante que tenga unas cuantas cosas en mente.

- Aunque los bloques pueden ser una parte de su entrenamiento diario, puede que quiera centrarse en estos ejercicios tan exigentes y que le ocupan tanto tiempo de uno a tres meses antes de un evento, dependiendo de su condición física actual y metas de la carrera.
- Ya que incluso los bloques más cortos engloban dos disciplinas y un gran número de herramientas de preparación, puede que quiera planificar estas sesiones para los fines de semana o en los días que disponga de más tiempo. Sea realista sobre el tiempo que utilizará sobre la bici y en la carrera a pie para poder programarlos adecuadamente en torno a las obligaciones que tenga para el fin de semana. Es posible que también quiera volver a consultar los consejos de gestión del tiempo que hemos visto en el capítulo 2 a la hora de programar sus entrenamientos en bloques.
- Los bloques pueden ayudarle a poner a punto sus habilidades para realizar esa transición, pero sólo si simula correctamente el escenario de la T2 de una carrera. Para hacerlo, prepare el montaje de una zona de transición de prueba como en una carrera y realice su T2 tan rápido como pueda. Si hace un bloque en casa, puede montar una zona de transición con una toalla de playa o una manta en el garaje. Cronometre sus transiciones y conviértalas en una meta que recortar cinco segundos en cada bloque.
- Asegúrese de que bebe mucho líquido, de esta manera minimizará las posibilidades de tener calambres durante la transición de la bici a la carrera a pie.

# Ejemplos de bloques de sobrecarga

Hay muchas formas de hacer bloques de transición de ciclismo a carrera, y cómo los estructure dependerá sólo de la distancia de la carrera para la que entrene, pero también del deporte de la transición que considere que tiene más debilidades. Con los dos primeros ejemplos que verá a continuación podrá fortalecer la disciplina donde más flaquee, y con el tercer bloque mejorará su resistencia en general, tanto en ciclismo como en la carrera a pie.

### ▶ *BLOQUE DE SOBRECARGA DE CICLISMO*

Si quiere tener una idea de cómo se sentirá en una carrera cuando se baje del sillín, un bloque de ciclismo le dará la respuesta. De hecho, la parte de la bici será casi tan exigente como cualquier otro ejercicio de ciclismo que haga por separado. La parte de la carrera del bloque está diseñada para habituar a las piernas a correr con un paso de transición suave durante una distancia relativamente corta.

*Los bloques de sobrecarga garantizan transiciones suaves en el día de la carrera, lo que le proporcionará una ventaja en la competición.*

**Distancia con la bici:** La parte de ciclismo de este bloque puede ser cualquiera que abarque del 60 al 90 por ciento de la distancia actual de su carrera. Por ejemplo, si está entrenando para una distancia Ironman, la marcha en bici puede comprenderse entre 108 y 161 kilómetros. Si entrena para una carrera de distancia olímpica, pedalee entre 24 y 35 kilómetros.

**Intensidad del pedaleo:** Esta marcha debería ser particularmente difícil, con un paso e intensidad cerca del 80 por ciento del ritmo que lleve en la carrera. Si hay cuestas en la carrera meta (para la que se esté preparando), intente hacer la marcha en bici en un recorrido cuyo terreno sea parecido.

**Transición 2 (T2):** La transición cuando se baje de la bici debería imitar la carrera, así que hágala rápido y de forma suave.

**Distancia para correr a pie:** La parte del bloque de la carrera a pie debería constituir solamente el 25 por ciento de la distancia del segmento de su actual carrera a pie, por ejemplo, 10,46 kilómetros para Ironman o una distancia 5K para media-Ironman.

**Intensidad de la carrera a pie:** El ritmo e intensidad debería imitar al de un ejercicio de enfriamiento, particularmente si ha tenido anteriormente problemas para bajarse corriendo de la bici. Recuerde, su objetivo es acostumbrarse poco a poco a correr un segmento de ciclismo de bastante intensidad. Este bloque no está diseñado para mejorar el ritmo de la carrera a pie.

## ▶ *BLOQUE DE SOBRECARGA DE CARRERA A PIE*

Si correr es lo que más necesita trabajar, un bloque de transición de bici a carrera que se centre principalmente en la carrera puede aumentar su confianza en el día de la carrera final. Además, si está planeando hacer una carrera larga, añadir una marcha en bici relativamente suave le puede servir como un excelente ejercicio de calentamiento.

**Distancia con la bici:** Si está entrenando para una carrera Ironman o media-Ironman, prográmese una marcha en bici que abarque del 20 al 40 por ciento de la distancia de su carrera en bici. Para una carrera de distancia olímpica o sprint, pedalee entre 11 y 16 kilómetros.

**Intensidad del pedaleo:** Debería realizar esta marcha en bici con un esfuerzo de poca a intensidad moderada, con el 50 al 60 por ciento del mismo ritmo de su carrera. Está bien si sube cuestas en bici, pero márquese un ritmo proporcional y trabaje con una buena técnica el subir cuestas como contrapartida a utilizar las marchas más duras o una gran cantidad de energía.

**T2:** Realice una transición rápida y establezca un ritmo y tempo en los primeros kilómetros que pueda mantener durante todo el recorrido.

**Distancia para correr a pie:** El segmento de la carrera a pie debería abarcar del 70 al 90 por ciento de la distancia su carrera actual. Por ejemplo, un bloque para media-Ironman debería incluir una carrera de 15 a 19 kilómetros.

**Intensidad de la carrera a pie:** Corra a una intensidad que sea un 80 por ciento de su carrera. Si se encontrase cuestas en el recorrido, intégrelas para este tipo de bloque.

## ▶ *BLOQUE DE SOBRECARGA CRONOMETRADO*

Un bloque cronometrado también se puede considerar como un entrenamiento que simula la carrera y puede estructurarse según las directrices que veremos a continuación (en relación con el recorrido y las condiciones meteorológicas). Es un ejercicio de alta intensidad y debería realizarlo sólo de forma periódica en los meses previos a la carrera. Este bloque imita la intensidad de una prueba cronometrada en la que utiliza toda la energía posible durante toda la distancia del ejercicio; sin embargo, recomiendo que lo reduzca para que constituya el 80 por ciento de su carrera con el objetivo de desarrollar su condición física hacia el rendimiento de su carrera actual en un tiempo adicional.

**Distancia con la bici:** Pedalee del 40 al 50 por ciento de su carrera actual para una distancia Ironman o media-Ironman. Los triatletas de distancia olímpica y sprint deberían hacer una marcha en bici de 11 a 16 kilómetros.

**Intensidad del pedaleo:** Haga una marcha en bici que constituya el 80 por ciento de su carrera en un recorrido que imite la topografía de la carrera final.

**T2:** Realice una transición firme. Toque el suelo cuando se baje de la bici y adapte su paso enseguida.

**Distancia de la carrera a pie:** Corra el 50 por ciento de la distancia de su carrera actual.

**Intensidad de la carrera a pie:** Corra el 80 por ciento de su carrera en un recorrido que imite la prueba triatlón.

# Otras variedades de bloque de sobrecarga

Puede escoger muchas maneras de estructurar los bloques, lo que hace que diseñar estos entrenamientos sea divertido, desafiante y una gran estrategia para personalizar su preparación y ajustarse a sus propias metas individuales. Por ejemplo, llévese sus zapatillas de correr a su próxima marcha en bici de fin de semana en la que participan cientos de personas y salga para hacer un enfriamiento suave de 4,8 kilómetros (se quedará sorprendido en el aparcamiento). También puede hacer una marcha en bici hasta la línea de salida de su carrera favorita 10K (seguirá sorprendiéndose, pero seguro que poco a poco le irá resultando más normal durante los primeros kilómetros). Combinar eventos como una marcha en bici de cientos de participantes o en una carrera organizada con otro deporte es ideal para ahorrar tiempo y motivar su meta a corto plazo, lo que le ayudará a diseñar de manera efectiva un bloque con un recorrido, tiempo y fecha fijos.

# SIMULACIONES DE LA CARRERA

¿Alguna vez ha estado en la línea de salida de una carrera y no tenía ni idea de lo que esperar? Es posible que cada uno de nosotros hayamos sido culpables alguna vez de no estar suficientemente preparados para las condiciones específicas de una carrera que estuviera ante nosotros como si nos anticipásemos al pistoletazo de salida. Se necesita coraje y resistencia mental para poder hacer frente a lo desconocido en una carrera que nunca hemos hecho antes, pero también es mejor estar preparado que no estarlo.

Los bloques de sobrecarga nos proporcionan una excelente manera para simular las condiciones generales de pasar de la bici a la carrera a pie, pero los entrenamientos de simulación de la carrera van un paso más allá y se centran en el elemento esencial del rendimiento: estar preparado para las condiciones meteorológicas y el recorrido de la carrera. Hay muchas formas posibles de simular una carrera. A continuación podrá ver algunos consejos que le ayudarán a hacer los preparativos para simular la carrera de una forma eficaz.

- **Investigue el recorrido.** Lo primero que tiene que hacer para intentar simular la carrera para la que se está entrenando es averiguar qué desafíos le puede presentar el recorrido. Hay muchas maneras de hacerlo, pero la mayoría de la información que necesita la puede obtener de Internet. Muchos organizadores de triatlón ponen a disposición esta información en sus páginas web. Si no lo hacen así, póngase en contacto con los organizadores de la prueba y vea si puede obtener todos los detalles posibles. En algunas carreras pueden incluso ofrecer mapas topográficos o ejemplos de entrenamiento basados en el recorrido de la carrera.

- **Averigüe las condiciones meteorológicas.** En las carreras con climatología distinta a la que está acostumbrado, es importante obtener toda la información que pueda sobre lo que esperar cuando pise la línea de salida. Los recursos donde adquirir información pueden ser las páginas web con información meteorológica, la propia página de la carrera y compañeros de la competición que hayan corrido en ese evento.

- **Aprovéchese de las condiciones meteorológicas.** ¿Vive en un estado al norte de su país y tiene que entrenar en mitad del invierno para hacer una carrera con un clima caluroso en la costa este? Algunas veces simplemente es imposible prepararse como es debido para determinadas condiciones meteorológicas de la carrera, como el calor, humedad, viento, lluvia y demás. Sin embargo, si se presenta la oportunidad, debería intentar siempre realizar un ejercicio de alta intensidad, hacer una marcha en bici o carrera a pie largas y un bloque en un día en el que el tiempo refleje las condiciones meteorológicas a las que se tendrá que enfrentar.

- **Prepárese para las condiciones del agua.** El segmento de natación de un triatlón es quizá una de las características que más define este deporte (cada disciplina es diferente, a menudo de muchas maneras). Por ejemplo, el segmento de natación en el Triatlón del Accenture Chicago es quizás uno de los más terribles. Aquí, miles de nadadores saltan al lago Michigan agitando las piernas y los brazos, y a veces parece que todos están nadando justo detrás de ti. Si tiene usted que nadar en un triatlón abarrotado de gente, puede que una de las mejores simulaciones para hacer sea nadar en aguas abiertas con unos cuantos compañeros de entrenamiento que vayan a su lado para ayudarle a acostumbrarse a la multitud de participantes de la carrera (y la patada que a veces uno recibe en toda la cara). Mejor aún, los eventos de aguas abiertas son una manera excelente de simular un segmento de natación cargado de gente.

---

### ▶ EJEMPLO DE ENTRENAMIENTOS DE SIMULACIÓN DE LA CARRERA (IRONMAN)

Este bloque de simulación, recomendado por el entrenador Steven Truesdale, se hace mejor alternando los fines de semana al menos un mes antes de la carrera Ironman. Busque una ruta en bici de tres horas con la que tenga que esforzarse firmemente durante largos períodos de tiempo sobre el sillín y simule la ruta de su carrera en todo lo que pueda. Monte una zona de prueba de transición en su garaje disponiendo de su equipo para correr a pie, una toalla, comida y líquido para hidratarse, justo como haría en una carrera. Para hacer la parte de la carrera a pie, busque un circuito cerrado o un recorrido de ida y vuelta que sea relativamente llano, pero que pueda tener algunas cuestas pequeñas. El tiempo total de los ejercicios se puede aumentar: 3 horas al principio pudiendo llegar hasta 5 o más según vaya acercándose al final del período de máximo rendimiento de su entrenamiento. Lo que más tiempo le ocupe en el ejercicio debe ser el último bloque que haga antes de empezar la reducción. Cuando lo acabe, asegúrese de que se recupera por completo en las próximas 24 horas.

**Calentamiento:** Monte en bici a ritmo suave y firme de 45 a 60 minutos con aproximadamente 90 rpm.

**Fase 1:** Mantenga un ritmo firme de 90 a 120 minutos en su paso de carrera. Tenga cuidado de no sobrepasar el esfuerzo máximo que mantenga; dese la vuelta en las cuestas si ve la necesidad de hacerlo.

**Fase 2:** Haga la transición rápidamente igual que en el día de la carrera y salga corriendo a pie en una carrera moderadamente larga de 60 a 120 minutos.

**Enfriamiento:** Camine durante unos 10 minutos después de haber corrido para que sus piernas y su cuerpo se recuperen.

# CARENCIAS

Casi todo triatleta, tanto si es principiante como un corredor veterano de Ironman, está de acuerdo en este principio de entrenamiento: centrarse en el deporte donde se tienen más fallos durante el entrenamiento le beneficiará con más resultados significativos de rendimiento. Sin embargo, a pesar de estar de acuerdo con los beneficios que refuerzan sus carencias en un deporte, parece existir un gran número de triatletas que no piensan así.

¿Por qué hay tantos triatletas que evitan centrar un entrenamiento en uno de los deportes donde tienen más problemas? Supongo que es de humanos el optar por el camino del mínimo esfuerzo. También sospecho que es natural evitar hacer una actividad que parece ser más difícil en comparación con las otras dos.

Por ejemplo, he conocido a lo largo de los años a varios triatletas que constantemente lo han pasado mal haciendo ciclismo en la carretera, porque temen sufrir algún accidente, no están cómodos con la velocidad o se sienten frustrados durante más de una hora mientras pedalean. Es verdad, quizás el ejemplo más común es que el triatleta que teme la profundidad del agua nunca alcanza un nivel más elevado de dominio en la natación, y menos aún en aguas abiertas. Los triatletas que no tienen una base de carrera a pie pueden a menudo encontrarla tortuosa.

Pero si se ha comprometido para usted una base en los tiempos de su carrera triatlón, no hay mejor ejercicio que una actividad 80/20 que le obligue a centrar su entrenamiento en el eslabón más débil. Ya hemos destacado un par de bloques que se centran en trabajar la carrera a pie y sobre la bici, maneras terroríficas de mejorar realmente sus carencias en uno de estos deportes. Pero no se detenga aquí, comprométase y prográmese ejercicios en su calendario de entrenamiento que le empujen constantemente para trabajar la disciplina o disciplinas que más le pongan a prueba, tanto física como mentalmente. Si sigue estos pasos, podrá ver que estos ejercicios seleccionados con un objetivo específico producirán definitivamente los mejores resultados en sus carreras, esto mismo es realmente todo lo que hay detrás del concepto de ejercicio basado en la regla 80/20.

Puede ser una pastilla un poco amarga de tragar, pero trabajar el más débil de los tres deportes no tiene por qué ser una tortura. Debe tener una perspectiva con la que ver el progreso de forma gradual en el deporte donde más flaquee; nada ocurre de la noche a la mañana. A continuación se muestran algunos consejos para tratar de resolver sus carencias en la o las disciplinas donde lo necesite:

• **Aumente el tiempo de entrenamiento para trabajar sus carencias.** Si divide el tiempo de su entrenamiento en partes a la semana (como trozos de tarta), ¿qué porcentaje de su tiempo está asignando para trabajar en su deporte más débil? Si resulta que el ciclismo es donde más flaquea y utiliza el 50 por ciento del tiempo de su entrenamiento para la carrera a pie, el 30 para la natación y sólo el 20 para el ciclismo, es posible que avance muy poco en esta disciplina para su próxima carrera. Cuando programe su plan semanal de entrenamiento, aumente el tiempo que utiliza para su deporte más débil con el fin de ser al menos proporcional (mejor si le dedica todavía más) a las otras dos disciplinas.

• **Busque compañeros de entrenamiento para que le guíen en los ejercicios.** Aparte de los ejercicios de natación, no hay mejor forma de obtener un poco de base en su deporte más débil que encontrar a un compañero de entrenamiento que le motive y le empuje a entrenar más duro, más rápido y más tiempo. Lo ideal sería dar con un compañero de entrenamiento que puede ser la bujía que le guíe en un deporte, mientras que usted puede encargarse de motivar a otro compañero del entrenamiento.

• **Elija el equipo apropiado.** Algunas veces el hecho de no estar dispuesto a subirse a la bici o salir a correr tiene que ver más con su equipo de entrenamiento que con cualquier otra cosa. Si se siente incómodo en la bici o si le duelen los pies cuando utiliza sus zapatillas de correr, puede que un viaje a la tienda de bicis o a una tienda especializada en deportes sea todo lo que necesita para trabajar en el eslabón más débil de su carrera y de forma más amena.

- **Establezca una rutina.** Cuando por primera vez a los 20 años aprendí a nadar como es debido, temía la idea de tener que ir a la piscina. Pero me comprometí a nadar al menos tres veces a la semana, algunas veces cuatro o cinco. Después de un par de meses, la dinámica mental de los ejercicios de la piscina cambió. Empezó a ser algo que realmente me divertía: la sensación del agua fría, el placer de mover el cuerpo en el agua y ese cansancio relajante de un buen ejercicio sin dolores por haber estado corriendo o haciendo ciclismo. Aunque puede ser difícil en principio tratar de trabajar su debilidad de forma constante con una actitud positiva, es posible que después vea que pronto estará deseando volver a hacerlo.

# Programas de carreras

Ahora que ya tiene una idea de los tipos de entrenamientos que puede incluir en su preparación y ha leído las distintas formas de poder incorporarlos dentro de un estilo de vida ajetreado, la tercera parte del libro le proporciona ejemplos de programas de entrenamiento para cada una de las cuatro distancias triatlón. Todos los programas y lo que necesita anotar en su diario de entrenamiento los encontrará aquí con un formato fácil de usar.

# CAPÍTULO 8

# Entrenamiento para distancia sprint

La distancia más común indicada para los nuevos triatletas es la distancia sprint, pero también puede ser una carrera bastante desafiante para cualquier persona que quiera avanzar rápido en un período relativamente corto. Para los principiantes, es la distancia ideal con la que empezar a sudar los pies.

Mientras que la imagen que se tiene del triatlón por los medios internacionales de comunicación puede estar más relacionada con una especie de «masatón» (como una masa de gente en una maratón), dibujada por el Campeonato Ironman de Hawai, la distancia sprint se está convirtiendo rápidamente en la preferencia de aquellos que no disponen de todo el tiempo o desean llevar un estilo de vida más equilibrado. Y aunque todo el mundo con buenas habilidades para gestionar el tiempo puede entrenar incluso para distancias más largas sin dejar de tener un estilo de vida equilibrado, seguro que les resultará más fácil cuando sus totales de entrenamiento semanales no sobrepasen las 10 horas.

Los triatlones de distancia sprint necesitan el menor compromiso de tiempo por su parte. Eso no significa que no constituya un reto, en especial si flojea en una o más de las tres disciplinas del triatlón. Además, todo su esfuerzo y compromiso para entrenar depende de si va a hacer su primer triatlón, con la carrera como un evento de entrenamiento o si va a jugarse todo para posicionarse en su grupo de edad (o incluso ganar).

Los entrenamientos para distancia sprint que veremos a continuación son un ejemplo de lo que el típico entrenamiento puede incluir en la duración de este triatlón. Se pretende que sean unos esquemas instantáneos de preparación para sprint y no la última palabra de la manera de entrenar, ya que no existe una última palabra. Cuando programe su entrenamiento para obtener los máximos resultados, modifique siempre cualquier ejemplo de planificación o plantilla de ejercicio, incluso las que aparecen en este libro, para adaptar sus propias metas. La diversión e intriga de planificar y llevar a cabo un entrenamiento es un elemento creativo. Mucha de la teoría del entrenamiento triatlón se apoya en la ciencia, pero es tanto un arte como una disciplina científica cuando empezamos a aplicar esta teoría a las metas individuales de cada uno, al cuerpo y a las aptitudes. Si ya siente simpatía por su entrenamiento, aquí podrá encontrar algunos elementos en los ejemplos de entrenamiento para incorporar en el plan de entrenamiento que ya tenga.

Como con los horarios de entrenamiento en forma de fórmulas, debería usted personalizarlo para la distancia sprint a fin de adaptarse a estas circunstancias:

- Su nivel actual de condición física.
- Metas.
- Resistencia.
- Carencias.
- Técnica defectuosa (como una mala técnica de natación).
- Lesiones u otras limitaciones.
- Discapacidades especiales.
- Topografía del recorrido de la carrera.
- Otras condiciones del recorrido de la carrera.

El ejemplo de entrenamiento de la tabla 8.1 incluye una variedad de métodos para entrenar, como ejercicios claves, de frecuencia cardiaca y basados en la regla 80/20. Además, se han incluido ejercicios basados en el tiempo y en la distancia. Utilice el método con el que se sienta más cómodo.

Personalmente prefiero los ejercicios basados en el tiempo, en especial en las primeras fases de un ciclo de entrenamiento. En lugar de estar demasiado preocupado con la distancia, concentrarse en el tiempo le permite completar su entrenamiento al ritmo que mejor se adecue a sus necesidades en lugar de forzarle demasiado para acabar una carrera de 4,8 kilómetros dentro de un denominado «tiempo digno».

Los ejercicios matrices de ocho semanas que se presentan en este capítulo también incluyen una gran cantidad de espacio para entrenar los fines de semana, que es posiblemente cuando disponga de más tiempo. Si su horario no es muy corriente (por ejemplo, el horario de un bombero puede consistir de 24 horas consecutivas de trabajo seguidas de varios días de descanso), pase simplemente los ejercicios de fin de semana que le mostramos aquí a los días que mejor se adapten a sus necesidades. Únicamente asegúrese de que utiliza un día de recuperación o un día libre inmediatamente después de los ejercicios exigentes y de alta intensidad.

Se dará cuenta de que los lunes son por lo general el día de recuperación o día libre. Creo mucho en la importancia de darse a uno mismo al menos un día de descanso, y puesto que los ejercicios de mucho esfuerzo se hacen los fines de semana, los lunes son un buen día de la semana para recuperarse.

Con la formula que sea, necesita personalizar el tiempo de reducción de sus propias necesidades. A continuación se indican algunos factores que debe tener en cuenta para establecer el mejor horario de reducción:

- Su edad.
- El ritmo de recuperación de un ejercicio.
- La intensidad y volumen de su entrenamiento el mes previo a la carrera.

- El tiempo que tarda en llegar a una carrera que se encuentra lejos.
- Su estado mental (si está quemado por su entrenamiento, puede que necesite un poquito más de tiempo de reducción).

Dependiendo de estas mismas consideraciones, puede escoger hacer una reducción de tres días o bien una a lo largo de toda la semana (consulte las listas). Las tablas muestran el tiempo total que debería entrenar. Los cuadros no especifican exactamente cómo debería entrenar, así que utilice el sentido común. Divida las disciplinas proporcionalmente según lo que quiera hacer.

No obstante, si siente que ha entrenado más de la cuenta o que está al borde de una lesión, siéntase libre para desviar el entrenamiento al deporte que menos le suponga físicamente. Por ejemplo, si le duelen las rodillas de correr tanto o esforzarse demasiado, haga más ejercicios de natación en las semanas previas al evento, lo que permitirá que su cuerpo se recupere a tiempo para la carrera.

**Reducción de 4 días para un triatlón de distancia sprint**

| | |
|---|---|
| Día 1 | 20 minutos |
| Día 2 | 15 minutos |
| Día 3 | Descanso total |
| Día 4 | Día de la carrera |

**Reducción de una semana para triatlón de distancia sprint**

| | |
|---|---|
| Día 1 | 30 minutos |
| Día 2 | Descanso total |
| Día 3 | 25 minutos |
| Día 4 | 20 minutos |
| Día 5 | 15 minutos |
| Día 6 | Descanso total |
| Día 7 | Día de la carrera |

## Tabla 8.1    Instantánea de entrenamiento para triatlón de distancia sprint

| | Lunes | Martes | Miércoles |
|---|---|---|---|
| **Semana 1** | ☺ (CLAVE): ejemplo ejercicio para ejercitar la mente de la pág. 85 | ☀ (FC): 11 km en la zona de recuperación y resistencia | ☺ : Ejercicios<br>🏃 : 15 min caminando o corriendo con paso suave (opcional) |
| **Semana 2** | Día de recuperación (libre) | ☺ (CLAVE): ejemplo de ejercicio de la pág. 85, reduzca la distancia a 900 m | ☀ (FC): 11 km en la zona de recuperación y resistencia |
| **Semana 3** | Día de recuperación (libre) | ☺ (CLAVE): ejemplo de ejercicio duro-suave-duro de la pág. 87 | ☀ : 8 km de spinning suave a 90 rpm o más |
| **Semana 4** | Día de recuperación (libre) | ☺ (CLAVE): ejemplo de ejercicio de cuenta atrás de la pág. 87, reduzca la distancia del ejercicio a 750 m en 350, 250, 100 y 50 m | ☀ : 16 km de spinning suave a 90 rpm o más |
| **Semana 5** | Día de recuperación (libre) | ☺ (80/20): simulación de carrera de natación supervisada en aguas abiertas durante 15 min; 20 min en la piscina para practicar la capacidad de orientación en el nado | ☀ : 19 km de spinning suave a 90 rpm o más |
| **Semana 6** | Día de recuperación (libre) | ☺ (CLAVE): mantenga el ritmo de un ejemplo de ejercicio de la pág. 86, modifíquelo a $10 \times 25$ m descansando 10 seg entre cada intervalo | ☀ : 16 km a ritmo normal aumentando el ritmo dos veces en dos repeticiones de 1,6 km en el medio de la carrera |
| **Semana 7** | Día de recuperación (libre) | ☺ (CLAVE): ejemplo de ejercicio de la técnica de golf de la pág. 85, $10 \times 25$ m descansando de 15-30 seg. entre cada intervalo | ☀ : marcha en bici en grupo de 16 a 24 km |
| **Semana 8** | Día de recuperación (libre) | ☺ (CLAVE): mantenga un ritmo sostenible de algún ejemplo de ejercicio de la pág. 85, divida la distancia de la carrera en dos partes ($2 \times 375$ m) | 🏃 : (intervalo): 1,6 km de calentamiento suave; $2\text{-}4 \times 400$ m, descansando 30-60 seg entre cada intervalo; 1,6 km para volver a la calma |

*Nota:* Aunque no siempre se va a especificar en la tabla, siempre debe calentar y enfriar apropiadamente con intensidad suave. Cuando no se especifique ni la distancia ni el tiempo, utilice su propio criterio para completar el ejercicio con la distancia apropiada para su nivel de condición física actual y capacidades. Configure siempre su propio programa basándose en la fase de entrenamiento en la que se encuentre y en sus propias metas individuales.

| Jueves | Viernes | Sábado | Domingo |
|---|---|---|---|
| ⌣ : 500 m suaves<br>⚙ : 20 min suaves | 🏃 : 15 min de carrera suave | ⚙ : 11 km de spinning suave a 90 rpm o más | 🏃 (CLAVE): 20 min suaves |
| 🏃 : 20 min caminando 500 m o corriendo<br>⌣ : Ejercicios | ⌣ 500 m suaves | ⚙ : 13 km de spinning suave a 90 rpm o más | 🏃 (FC): 20 min en la zona de recuperación y resistencia |
| 🏃 : 20 min suaves | ⌣ Ejercicios | ⚙ (FC): 11 km en la zona de recuperación y resistencia | 🏃 (CLAVE): 20 min de carrera: los primeros 15 min suaves con carrera a tempo de 5 min al final |
| 🏃 : 15 min suaves | ⌣ Ejercicios | ⚙ (CLAVE): ejercicio de eficacia del pedaleo de la pág. 89 | 🏃 (FC): 25 min de carrera suave en la zona de recuperación y resistencia |
| 🏃 : (CLAVE): 15 min carrera a tempo o carrera de FC en la zona de recuperación y resistencia | ⌣ 500 m suaves, seguidos de ejercicios | ⚙ (CLAVE): 13 km en un recorrido con cuestas a ritmo normal, recupérese en las pendientes (cuesta abajo) | 🏃 (FC): 25 min de carrera suave en la zona de recuperación y resistencia |
| 🏃 : carrera en grupo de 4,8-8 km a un ritmo de conversación o una carrera suave de 20 min | ⌣ : 750 m suaves, seguidos de ejercicios | ⚙ : 13 km de spinning suave a 90 rpm o más | ⚙ / 🏃 bloque (80/20)<br>⚙ : 16 km a ritmo moderado o en la zona aeróbica y tempo<br>🏃 : 15 min suaves |
| 🏃 : 10 min suaves seguidos de 5 min con el paso de la carrera, 5 min para volver a la calma | ⌣ : 700 m suaves, seguidos de ejercicios | ⚙ (FC): ejercicio de frecuencia cardiaca de la pág. 89 | 🏃 (FC):4,8 km en la zona aeróbica y tempo |
| ⌣ : 500 m seguidos de ejercicios | 🏃 : 15 min suaves | ⚙ (FC): 19 km en la zona aeróbica y tempo | 🏃 : 25 min suaves |

# CAPÍTULO 9

# Entrenamiento para distancia olímpica

La distancia olímpica es la mejor distancia para las carreras de triatlón. Quizá sea un reto bastante grande para un principiante, pero es la distancia ideal para aquellos que quieren comprometerse con un entrenamiento moderado y es uno de los peldaños para llegar a las distancias más largas.

Muchos triatletas novatos realmente se sienten muy cómodos cuando tienen que entrenar para esta distancia, especialmente aquellos que tienen una base sólida en una o más de las tres disciplinas. Si usted es principiante y se está planteando hacer una carrera de distancia olímpica, simplemente asegúrese de que es una prueba con un número relativamente mínimo de participantes (me refiero a las carreras de cientos de participantes en oposición a las de miles). Las carreras largas son divertidas, pero no le recomendaría ninguna hasta que complete su primer tri-evento.

Si está entre los triatletas que empiezan con una distancia sprint y trabaja poco a poco para la distancia olímpica y va todavía más allá, tenga en cuenta un par de factores. Ya que las distancias son el doble que la sprint, su entrenamiento tiene también que aumentar. ¿Lo multiplicaría por dos? No siempre. La razón es simple: para hacer un triatlón de distancia sprint (quizá sea su primer triatlón) es posible que tenga una curva de aprendizaje relacionada con las habilidades y el conocimiento de la materia, y lo más probable es que tenga que centrarse en una buena cantidad del tiempo para dedicarle a su entrenamiento base. Tendrá que posponer algunos de estos créditos, por así decirlo, si elije licenciarse en la distancia olímpica.

La distancia olímpica también le obliga a pensar más en el paso que llevar. Le desafía para mantener un ritmo óptimo que pueda sostener en las tres disciplinas en esta particular distancia, de la misma manera que correría en una carrera 10K a paso lento como en una de 5K. Mientras que puede haber tenido suerte a la hora de forzar los límites varias veces durante el sprint de triatlón, hacer esto mismo en esta distancia y durante más tiempo puede incapacitarle para recuperarse y seguir en la última mitad de la carrera.

Cuando se enfrente a esta distancia y durante un tiempo más prolongado, mantener un paso e intensidad firmes durante toda la carrera es un factor que cada vez cobra más importancia tanto en su entrenamiento como en la realización de un triatlón. Los bloques son especialmente útiles en este sentido, en particular los entrenamientos como los simulacros de bloques de la carrera que se han detallado en el capítulo 7.

Los triatlones de distancia olímpica necesitan que se comprometa con un tiempo moderado de entrenamiento, por lo general de 10 a 15 horas a la semana, dependiendo de sus metas. La intención de los ejercicios de distancia olímpica que mostraremos a continuación es servir como ejemplo de lo que puede incluir un típico entrenamiento para este evento, pero no es la última palabra.

Para personalizar su entrenamiento de distancia olímpica tenga en cuenta los siguientes factores:

- Su nivel actual de condición física.
- Metas.
- Resistencia.
- Carencias.
- Técnica defectuosa (p. ej., una mala técnica de natación).
- Lesiones u otros impedimentos.
- Discapacidades especiales.
- Topografía del recorrido de la carrera.
- Otras condiciones del recorrido de la carrera.

Los ejemplos de ejercicios incluyen una gran variedad de métodos para entrenar: ejercicios clave, de frecuencia cardiaca y basados en la regla 80/20. Establezca el método que más resultados le proporcione o combínelos para alcanzar sus metas. Además, he incluido tanto los ejercicios basados en el tiempo como el entrenamiento basado en la distancia; utilice el método con el que más cómodo se sienta. Como en todos los programas de entrenamiento, los lunes son por lo general el día de recuperación o día libre. En mi opinión, los lunes son el día ideal para recuperarse de unos ejercicios duros del fin de semana y de recuperar las fuerzas para todo el entrenamiento que queda por delante.

De nuevo, necesita personalizar cualquier régimen de entrenamiento. Tenga en cuenta lo siguiente para determinar el programa de reducción que más le convenga en su caso:

- Su edad.
- El ritmo de recuperación de un ejercicio.
- La intensidad y volumen de su entrenamiento el mes previo a la carrera.

- El tiempo que tarda en llegar a una carrera que se encuentra lejos.
- Su estado mental (si está quemado por su entrenamiento, puede que necesite un poquito más de tiempo de reducción).

Con una prueba de distancia olímpica por delante, debería usted considerar el hacer la reducción durante una semana entera. En la siguiente lista puede consultar el tiempo total que debería utilizar para entrenar. Divida las disciplinas con las mismas proporciones que ha estado haciendo o, si prefiere recuperarse un poquito más, céntrese en los ejercicios de natación, marchas en bici y carreras a pie con paso suave. Evite el entrenamiento de alta intensidad, como pueden ser los intervalos de pista o un recorrido muy empinado.

**Semana de reducción
para un triatlón de
distancia olímpica**

| | |
|---|---|
| Día 1 | 45 minutos |
| Día 2 | Descanso total |
| Día 3 | 40 minutos |
| Día 4 | 30 minutos |
| Día 5 | 20 minutos |
| Día 6 | Descanso total |
| Día 7 | Día de la carrera |

**Tabla 9.1    Instantánea de entrenamiento para triatlón de distancia olímpica**

| | Lunes | Martes | Miércoles |
|---|---|---|---|
| **Semana 1** | ☺ (CLAVE): ejercicio para ejercitar la mente en la pág. 85 modificado al 1.500 m | ✷ (FC): 24 km en la zona de recuperación y resistencia | ✎ : 20 min suaves |
| **Semana 2** | Día de recuperación (libre) | ☺ (CLAVE): simulación de carrera de la pág. 86 de 1.500 m | ✷ (FC): 24 km en la zona de recuperación y resistencia |
| **Semana 3** | Día de recuperación (libre) | ☺ (CLAVE): ejercicio de técnica de golf de la pág. 86, modificado a 8 × 25 m | ✷ : 24 km de spinning suave a 90 rpm o más |
| **Semana 4** | Día de recuperación (libre) | ☺ (CLAVE): ejemplo de ejercicio de ritmo sostenible de la pág. 85, modificado a 2 × 750 m | ✷ : 32 km de spinning suave a 90 rpm o más |
| **Semana 5** | Día de recuperación (libre) | ☺ (80/20): simulación de la carrera de natación de 25 min supervisada en aguas abiertas; o 30 min en la piscina para practicar la capacidad de orientación en el nado | ✷ : 24 km de spinning suave a 90 rpm o más |
| **Semana 6** | Día de recuperación (libre) | ☺ (CLAVE): mantenga el ritmo de un ejemplo de ejercicio de la pág. 87, modifíquelo a 10 × 25 m descansando 10 seg entre cada intervalo a ritmo rápido y regular | ✷ : 32 km a ritmo normal con 5 × 1,6 km intervalos al ritmo de carrera en el medio del ejercicio y 5 min de recuperación entre esos intervalos de esfuerzo |
| **Semana 7** | Día de recuperación (libre) | ☺ (CLAVE): ejemplo de ejercicio de cuenta atrás de la pág. 87, modificando la distancia a 1.500 m, dividida en 500, 400, 300, 200 y 100 m | ✷ : marcha en bici en grupo de 32-40 km |
| **Semana 8** | Día de recuperación (libre) | ☺ (CLAVE): ejemplo de ejercicio duro-suave-duro de la pág. 87 | ✎ : (intervalo): 1,6 km de calentamiento suave; 3-4 × 400 m, 1-2 × 800 m, descansando 30-60 seg entre cada intervalo; 1,6 km para volver a la calma |

*Nota:* Aunque no siempre se va a especificar en la tabla, siempre debe calentar y enfriar apropiadamente con intensidad suave. Cuando no se especifique ni la distancia ni el tiempo, utilice su propio criterio para completar el ejercicio con la distancia apropiada para su nivel de condición física actual y sus capacidades. Configure siempre su propio programa basándose en la fase de entrenamiento en la que se encuentre y en sus metas individuales.

| Jueves | Viernes | Sábado | Domingo |
|---|---|---|---|
| ⊙ : 1.000 m suaves<br>✹ : 30 min suaves de spinning a 90 rpm o más | ⊙ : ejercicios | ✹ : 24 km de spinning suave a 90 rpm o más | 👟 (CLAVE): 30 min suaves con arranques *fartlek* de 10-60 seg en ritmo de carrera 5 K cuando haya recorrido la mitad de los km |
| 👟 : 30 min suaves de carrera<br>⊙ : Ejercicios | ⊙ : 1.000 m suaves | ✹ : 32 km de spinning suave a 90 rpm o más | 👟 (FC): carrera de 40 min en la zona de recuperación y resistencia |
| 👟 : 35 min de carrera suave | ⊙ : Ejercicios | ✹ (FC): 32 km en la base de la zona de recuperación y resistencia | 👟 (CLAVE): 45 min de carrera: 15 min suaves, 15 en la carrera a tempo, 15 min para volver a la calma (enfriamiento) |
| 👟 : 30 min de carrera suave | ⊙ : Ejercicios | ✹ (CLAVE): 60-90 min de ejercicio de velocidad, como aparece en la pág. 91 | 👟 (FC): 50 min de carrera suave en la zona de recuperación y resistencia |
| 👟 : (CLAVE): 30 min de carrera a tempo o carrera de FC en la zona aeróbica y tempo | ⊙ : 1.000 m suaves, seguidos de ejercicios | ✹ (CLAVE): 24 km de bici en recorrido con cuestas a ritmo normal y recuperación en las pendientes | 👟 (FC): 45 min de carrera suave en la zona de recuperación y resistencia |
| 👟 : carrera en grupo de 8 km a un ritmo de conversación o una carrera suave de 40 min | ⊙ : 1.500 m suaves, seguidos de ejercicios | ✹ : 16 km de spinning suave a 90 rpm o más | ✹ / 👟 bloque (80/20)<br>✹ : 32 km a ritmo moderado o en la zona aeróbica y tempo<br>👟 : 30 min suaves |
| 👟 : 20 min de carrera suave seguidos de 5 min con ritmo de carrera, más 5 min suaves de enfriamiento | ⊙ : 1.200 m suaves, seguido de ejercicio | ✹ (FC): ejercicio de frecuencia cardiaca de la pág. 89 | 👟 (FC): 8 km en la zona aeróbica y tempo |
| ⊙ : 1.200 m seguidos de ejercicios | 👟 : 30 min suaves | ✹ (FC): 40 km en la zona aeróbica y tempo | 👟 : 1 h suave, ritmo de conversación |

# CAPÍTULO 10

# Entrenamiento para media-Ironman

Tengo que admitirlo: la distancia media-Ironman es mi preferida. Desde mi punto de vista, es la distancia triatlón ideal. ¿Por qué? Porque nos exige bastante tanto en el entrenamiento como en el triatlón haciéndonos sentir que realmente hemos alcanzado a la línea de llegada con un cansancio agotador aunque felices por haberlo logrado, y sin que domine por completo nuestra vida como pudiera hacerlo la distancia Ironman. Aunque cualquier triatlón puede causar el mismo efecto, depende de cada persona, para mí la distancia media-Ironman es la mejor, ni muy corta, ni muy larga. Ésta ha sido la distancia que más he corrido durante la década y media en la que he estado compitiendo, una media de cuatro al año, participando también en otras carreras más cortas por si acaso.

Si va a aumentar usted la distancia de la carrera, enseguida se dará cuenta de que las carreras media-Ironman requieren mucho tiempo de entrenamiento, especialmente para consolidar su preparación en el segmento ciclista de la carrera. Por lo general el entrenamiento ciclista será el que ocupe la mayor parte del tiempo (y ocurre lo mismo con cualquier distancia triatlón); en las carreras de media-Ironman puede que sus marchas en bici del fin de semana duren de tres a cuatro horas. Añada después del entrenamiento una hora de carrera a pie para hacer de vez en cuando algunos bloques, y verá la facilidad que tiene el entrenamiento para consumir la mayor parte del día. Siempre y cuando se meta de lleno en la tarea, este tipo de entrenamiento puede ser el más gratificante con el que pueda adquirir un compromiso.

Todos conocemos a personas duras e impasibles al dolor que se divierten entrenando en solitario. Sin embargo, la mejor forma de enfrentarse a una distancia media-Ironman es entrenar acompañado. Necesita a un colega con el que hacer las largas carreras a pie y en bici, y no sólo para estar de cháchara todo el rato. Un compañero de entrenamiento en los largos tramos de la carretera es sencillamente más seguro que hacer ciclismo o carrera a pie en solitario. Debe estar siempre preparado para las eventualidades y emergencias que puedan surgir en una marcha larga en bici (lleve cámaras de aire, una palanca para desmontar los neumáticos, bomba de aire, botiquín de primeros auxilios, bastante líquido, teléfono móvil), pero con un compañero de ciclismo sus posibilidades de seguir sano y salvo aumentarán enormemente mientras comparte con los coches la carretera.

Si no tiene un compañero de entrenamiento, intente participar en las marchas en bici en grupo, como las que organice la tienda de ciclismo de la zona o las que programen los clubes de ciclismo de su localidad los fines de semana.

Otra cosa que hay que tener en cuenta cuando pase a entrenar esta distancia tan exigente es mejorar su equipo de triatlón. Con tantas horas sobre la bici cobra todavía más importancia tener ropa adecuada, una bici cómoda y del tamaño que mejor se ajuste a su cuerpo, pedales automáticos y zapatillas con los que consiga obtener mejores resultados (si ha comprado su equipo en las cadenas especializadas de ciclismo, puede que ahora mismo quiera visitar aquella tienda local para las compras de última hora). No olvide asegurarse de que sus gafas de natación son cómodas y no dejan que se cuele el agua, y que sus zapatillas de correr todavía le amortiguan bien los pies para hacer la carrera (yo me suelo comprar un par cada tres o seis meses, lo que cualquier corredor habitual debería hacer). El entrenamiento de media-Ironman desgasta más el equipo de triatlón, por lo que es más fácil que esté por debajo de los resultados que se haya marcado tanto si necesita mejorar como si no.

Para los triatlones de media-Ironman necesita comprometerse bastante. Este nivel de dedicación al entrenamiento no es apto para todo el mundo, tenga en cuenta que estará chapoteando, rodando y corriendo desde 15 horas como mínimo hasta más de 25 ó 30 a la semana para poder perseguir un rendimiento de alto nivel de esfuerzo.

Como con todos los ejercicios que hemos visto, los que mostramos aquí para la distancia media-Ironman están pensados para que le sirvan como esquema instantáneo del tipo de entrenamiento que puede realizar para la prueba.

Para personalizar su entrenamiento de distancia media-Ironman, tenga en cuenta lo siguiente:

- Su nivel actual de condición física.
- Metas.
- Resistencia.
- Carencias.
- Técnica defectuosa (p. ej., una mala técnica en natación).
- Lesiones u otros impedimentos.
- Discapacidades especiales.
- Topografía del recorrido de la carrera.
- Otras condiciones del recorrido de la carrera.

Los ejemplos de ejercicios que veremos aquí incluyen una gran variedad de métodos para entrenar: ejercicios clave, entrenamiento de la frecuencia cardiaca y ejercicios basados en la regla 80/20. Establezca el método más efectivo en su caso o combínelos para alcanzar sus metas. Se dará cuenta de que tanto el entrenamiento basado en el tiempo como el basado en la distancia se reflejan en los próximos esquemas (utilice cualquier método con el que más cómodo se sienta).

Como puede ver, la matriz de entrenamiento normalmente le da los lunes como día libre o le propone un ejercicio de recuperación. Puesto que realiza la mayoría de todos sus duros y largos ejercicios durante el fin de semana, los lunes están preparados para que haga un ejercicio a su elección de recuperación suave o de baja intensidad (incluso jugar a los bolos o nadar en la piscina).

Como con cualquier fórmula, debería personalizar su entrenamiento para adaptarse a sus necesidades. Los siguientes factores son fundamentales a la hora de determinar su programa de reducción:

- La edad.
- El ritmo de recuperación de un ejercicio.
- La intensidad y volumen de entrenamiento el mes previo a la carrera.
- El tiempo que tarda en llegar a una carrera que se encuentra lejos.
- Su estado mental (si está quemado por su entrenamiento, puede que necesite un poquito más de tiempo de reducción).

Con una prueba media-Ironman por delante debería considerar el tener un programa de reducción de 10 días. La siguiente lista le indica el tiempo total que debería utilizar para entrenar. Simplemente divida las tres disciplinas en las mismas proporciones que ha estado haciendo, o si prefiere hacer un poco más de recuperación, céntrese en los ejercicios de natación y en las marchas en bici y carreras a pie suaves. Evite cualquier entrenamiento de alta intensidad, como los intervalos de pista, en especial durante la última semana antes de la prueba.

**Reducción de 10 días
para media-Ironman**

| Día 1 | 60 minutos |
|-------|------------|
| Día 2 | Descanso total |
| Día 3 | 45 minutos |
| Día 4 | 40 minutos |
| Día 5 | 40 minutos |
| Día 6 | Descanso total |
| Día 7 | 30 minutos |
| Día 8 | 20 minutos |
| Día 9 | Descanso total |
| Día 10 | Día de la carrera |

## Tabla 10.1 Instantánea de entrenamiento para triatlón de distancia media-Ironman

| | Lunes | Martes | Miércoles |
|---|---|---|---|
| **Semana 1** | ☺ (CLAVE): ejercicio para ejercitar la mente de la pág. 85, modifique la distancia 1.500 m | ✹ (FC): 40 km en la zona de recuperación y resistencia | 🏃 : 40 min de carrera suave |
| **Semana 2** | Día de recuperación (libre) | ☺ (CLAVE): ejercicio de simulación de carrera de la pág. 85, modifique la distancia a 1.900 m | ✹ (FC): 48 km en la zona de recuperación y resistencia |
| **Semana 3** | Día de recuperación (libre) | ☺ (CLAVE): ejercicio de técnica de golf de la pág. 86 | ✹ : 48 km de spinning suave a 90 rpm o más |
| **Semana 4** | Día de recuperación (libre) | ☺ (CLAVE): ejercicio de ritmo sostenible de la pág. 85, modifique la distancia a 2 × 950 m | ✹ : 64 km de spinning suave a 90 rpm o más |
| **Semana 5** | Día de recuperación (libre) | ☺ (80/20): simulación de la carrera de natación supervisada en aguas abiertas durante 50 min; o 45 min en la piscina para practicar la capacidad de orientación en el nado | ✹ : 48 km de spinning suave a 90 rpm o más |
| **Semana 6** | Día de recuperación (libre) | ☺ (CLAVE): mantenga el ritmo de un ejemplo de ejercicio de la pág. 87, modifíque la distancia 10 × 75 m | ✹ : 64 km a ritmo normal con arranques de potencia de carrera 6 × 1.600 m a mitad de la carrera, 5 minutos de recuperación entre cada intervalo |
| **Semana 7** | Día de recuperación (libre) | ☺ (CLAVE): ejercicio de cuenta atrás de la pág. 87 | ✹ : marcha en bici en grupo de 64 a 80 km |
| **Semana 8** | Día de recuperación (libre) | ☺ (CLAVE): ejercicio duro-suave-duro, modifique la distancia a 4 × 75 m a ritmo rápido, 2 × 75, muy suave, y 4 × 75 m a ritmo rápido; descanse 20-30 seg entre cada uno de todos los intervalos | 🏃 (FC): 13 km en la zona aeróbica y tempo |

*Nota:* Aunque no siempre se va a especificar en la tabla, siempre debe calentar y enfriar apropiadamente con intensidad suave. Cuando no se especifique ni la distancia ni el tiempo, utilice su propio criterio para completar el ejercicio con la distancia apropiada para el nivel de su condición física actual y capacidades. Configure siempre su propio programa basándose en la fase de entrenamiento en la que se encuentra y en sus propias metas individuales.

| Jueves | Viernes | Sábado | Domingo |
|---|---|---|---|
| ⊖ : 1.500 m suaves<br>✳ : 60 min suaves de spinning a 90 rpm o más | ⊖ : Ejercicios | ✳ : 56 km de spinning suave a 90 rpm o más | 👟 : 1 h suave |
| 👟 : 45 min suaves<br>⊖ : Ejercicios | ⊖ 1.800 sus suaves | ✳ : 64 km de spinning suave a 90 rpm o más<br>⊖ : Ejercicios | 👟 (FC): 1 h de carrera en la zona de recuperación y resistencia |
| 👟 : 45 min suaves con arranques *fartlek* a mitad de los km recorridos siempre y cuando se encuentre bien | ⊖ Ejercicios | ✳ (FC): 64 km en la zona de recuperación y resistencia<br>⊖ 6 × 75 m a ritmo normal concentrándose en la forma; 30 seg de descanso entre cada intervalo | 👟 (CLAVE): 1 h de carrera: 20 min suaves, 20 min en la carrera a tempo, 20 min para volver a la calma |
| 👟 : 45 min de carrera suave | ⊖ Ejercicios | ✳ (CLAVE): ejercicio de velocidad de la pág. 91<br>⊖ : 1.800 m suaves | 👟 (FC): 1 h de carrera suave en la zona de recuperación y resistencia |
| 👟 : (CLAVE): 45 min de carrera a tempo o carrera de FC en la zona aeróbica y tempo | ⊖ 1.800 m suaves, seguidos de ejercicios | ✳ (CLAVE): 48 km de bici en recorrido con cuestas a ritmo normal y recuperación en las pendientes | 👟 (FC): 70 min de carrera suave en la zona de recuperación y resistencia<br>⊖ Ejercicios |
| 👟 : carrera en grupo de 9,7-13 km a un ritmo de conversación o una carrera suave de 45 min<br>⊖ Ejercicios | ⊖ : 2.000 m suaves, seguidos de ejercicios | ✳ : 40 km de spinning suave a 90 rpm o más | ✳ / 👟 bloque (80/20)<br>✳ : 64 km a ritmo normal o en la zona aeróbica y tempo<br>👟 : 1 h suave |
| 👟 (intervalos): 1,6 km suave de calentamiento; 2 × 400 m, 3 × 800 m, 2 × 400 m, descansando 1 minuto entre cada intervalo; 1,6 km para volver a la calma | ⊖ : 2.000 m suaves, seguidos de ejercicios | ✳ (FC): 64 km en la zona aeróbica y tempo | 👟 (FC):16 km en la zona aeróbica y tempo<br>⊖ Ejercicios |
| ⊖ : 2.000 m seguidos de ejercicios | 👟 : 45 min suaves | ✳ (FC): 50 km en la zona aeróbica y tempo | 👟 : 90 min suaves, ritmo de conversación<br>⊖ Ejercicios |

# CAPÍTULO 11

# Entrenamiento para Ironman

Dentro del círculo de amigos que participamos en deportes de resistencia, como maratones y triatlones, solemos decir: nunca subestimes una maratón. E indudablemente nunca, nunca quiera usted subestimar una distancia Ironman. La connotación está en que mientras algunos atletas experimentados pueden ser capaces de salir ilesos de la carrera con una preparación mínima para pruebas de corta y media distancia, con la distancia Ironman se debe alcanzar un nivel lo suficientemente alto como para garantizar una carrera segura y relativamente indolora.

Pero no deje que ese alto nivel le asuste si se siente preparado para afrontar un reto de este tipo. Aunque la distancia Ironman es muy exigente, una buena gestión del tiempo y una dosis saludable de moderación en todos los sentidos puede ayudarle a que su entrenamiento sea divertido y equilibrado. Sin moderación en el entrenamiento, su vida puede al final ponerse patas arriba. Así pues, preste mucha atención a otras áreas fundamentales de su vida (trabajo, matrimonio, etc.) que pueden resultar afectadas si se está pasando un poco con las cosas que esté haciendo. Y es obvio que los síntomas del sobreentrenamiento son también indicadores de la falta de moderación en esos aspectos de su vida.

Aunque algunos triatletas veteranos hayan cubierto esta distancia en menos tiempo con una base física sólida en los tres deportes, el plan de entrenamiento idóneo es el de un año (teniendo en cuenta que no sea novato en este deporte, en cuyo caso la distancia Ironman no sería la mejor opción para empezar a entrenar). Seguir un método de entrenamiento durante un año le da el tiempo suficiente para recuperarse de cualquier posible contratiempo, lesión o enfermedad (esperemos que sean de menor importancia). Con este método podrá desestresarse un poco, ya que tendrá mucho tiempo para ir trabajando gradualmente un nivel más elevado de condición física.

Por lo general, las carreras Ironman se llenan enseguida, así que cuanto antes se inscriba, mejor. Muchas carreras con el nivel de competición de esta distancia, como el famoso Campeonato del Mundo de triatlón de Hawai, pueden incluso no admitir la participación de los aficionados a este deporte o repartir solamente algunas entradas para presenciar el evento. Si participa en la competición dentro de un grupo de edad, compruebe que las carreras de su localidad sirven para clasificarse en una carrera Ironman de competición.

Los costes pueden ser un elemento fundamental a la hora de decidir si participar en la carrera Ironman, especialmente si la carrera que ha elegido se celebra en la otra punta del mundo. Aparte de los costes que le suponga, tiene que contar con los gastos del billete de avión y el alojamiento durante varios días. Resérvese siempre algunos días de recuperación después del triatlón Ironman, en caso contrario tendrá un vuelo de regreso un tanto doloroso.

El entrenamiento Ironman necesita que se comprometa de 20 horas como mínimo a 30 o más horas semanales. Como ya he insinuado antes, este gran compromiso de tiempo no se debería tomar a la ligera.

Como con todos los ejercicios de este libro, la intención de los entrenamientos Ironman que se muestran a continuación es la de poder servir como esquemas instantáneos de lo que puede ser una preparación para este tipo de evento. Es muy importante cerciorarse de que tiene una buena base sólida de entrenamiento para intentar hacer algunos de los ejercicios más exigentes de la tabla 11.1.

*La competición Ironman puede ser muy dura. Asegúrese de que hace la carrera con el nivel de preparación que necesita.*

Para personalizar su distancia Ironman, tenga en cuenta los siguientes factores:

- Su nivel actual de condición física.
- Metas.
- Resistencia.
- Carencias.
- Técnica defectuosa (p. ej., una mala técnica en natación).
- Lesiones u otros impedimentos.
- Discapacidades especiales.
- Topografía del recorrido de la carrera.
- Otras condiciones del recorrido de la carrera.

Los ejemplos de ejercicios incluyen una gran variedad de métodos para entrenar: ejercicios clave, entrenamiento de la frecuencia cardiaca y ejercicios basados en la regla 80/20. Establezca el método más efectivo en su caso o combínelos para alcanzar sus metas. Tanto los ejercicios basados en el tiempo como en la distancia se reflejan en los próximos cuadros de ejercicios (utilice el método que sea con el que más cómodo se sienta). Puede encontrar, en especial para las carreras a pie de larga distancia, que el método de entrenamiento basado en el tiempo le ayuda a gestionar su tiempo de forma más eficaz, ejerciendo menos presión para correr una distancia triatlón.

Como con todos los programas de entrenamiento, los lunes son normalmente el día libre o el que se recomienda para hacer un ejercicio de recuperación. En la mayoría de su entrenamiento Ironman estará trabajando realmente de forma muy dura durante el fin de semana, por lo que su cuerpo y mente necesitan esos lunes para hacer ejercicios suaves o incluso tenerlos libres para poder recuperarse.

Ya que la propia naturaleza del entrenamiento Ironman es muy exigente, es especialmente importante que reduzca tanto la intensidad como el volumen de sus ejercicios las dos semanas previas a la carrera. Puede que se vicie a un entrenamiento de larga distancia, pero se debe a sí mismo el estar recuperado y fresco para el día de la carrera.

Personalice su programa de reducción para ajustarlo a sus necesidades individuales. Algunas cosas que debe tener en cuenta para determinar su programa ideal de reducción son las siguientes:

- La edad.
- El ritmo de recuperación de un ejercicio.
- La intensidad y volumen de entrenamiento el mes previo a la carrera.

**Reducción de dos semanas para el Ironman**

| | |
|---|---|
| Día 1 | 90 minutos |
| Día 2 | Descanso total |
| Día 3 | 60 minutos |
| Día 4 | 45 minutos |
| Día 5 | 45 minutos |
| Día 6 | Descanso total |
| Día 7 | 60 minutos |
| Día 8 | 45 minutos |
| Día 9 | Descanso total |
| Día 10 | 30 minutos |
| Día 11 | 30 minutos |
| Día 12 | 20 minutos |
| Día 13 | Descanso total |
| Día 14 | Día de la carrera |

# Tabla 11.1    Instantánea de entrenamiento para triatlón de distancia Ironman

| | Lunes | Martes | Miércoles |
|---|---|---|---|
| **Semana 1** | ⊖ (CLAVE): ejercicio para ejercitar la mente de la pág. 85, modifique la distancia a 3.800 m | ✳ (FC): 64 km en la zona de recuperación y resistencia | 👟 : 45 min suaves |
| **Semana 2** | Día de recuperación (libre) | ⊖ (CLAVE): ejercicio de simulación de carrera de la pág. 85, modifique la distancia a 3.800 m | ✳ (FC): 80 km en la zona de recuperación y resistencia |
| **Semana 3** | Día de recuperación (libre) | ⊖ (CLAVE): ejercicio de técnica de golf de la pág. 86, modificado la distancia a 10 × 50 m | ✳ : 97 km de spinning suave a 90 rpm o más |
| **Semana 4** | Día de recuperación (libre) | ⊖ (CLAVE): ejercicio de ritmo sostenible de la pág. 85 | ✳ : 97 km a ritmo normal en un recorrido que tenga unas cuantas cuestas que constituyan un reto |
| **Semana 5** | Día de recuperación (libre) | ⊖ (80/20): simulación de la carrera de natación supervisada en aguas abiertas durante 70 min; o 60 min en la piscina para practicar la capacidad de orientación en el nado | ✳ : 97 km a ritmo normal |
| **Semana 6** | Día de recuperación (libre) | ⊖ (CLAVE): mantenga el ritmo de un ejercicio de la pág. 87, modifíque la distancia a 10 × 100 m | ✳ : 80 km a ritmo normal con arranques de potencia de 6 × 3,2 a mitad de la carrera, 5 minutos de recuperación entre cada intervalo |
| **Semana 7** | Día de recuperación (libre) ⊖ 1.500 m suaves seguidos de ejercicios | ⊖ (CLAVE): ejercicio de cuenta atrás de la pág. 87, modifique la distancia a un total de 3.800 m a nado de 900 m, 800 m, 600 m, 500 m, 400 m, 300 m, 200 y 100 m | ✳ : marcha en bici en grupo de 80 a 97 km |
| **Semana 8** | Día de recuperación (libre) | ⊖ (CLAVE): ejercicio duro-suave-duro, de pág. 87, modifique la distancia a 4 × 125 m a ritmo rápido, 2 × 125 m muy suave, y 4 × 125 m muy rápido | 👟 (intervalo): 1,6 km suaves de calentamiento; 3 × 400 m, 2 × 800 m, 1 × 1,6 km, 2 × 400 m, descansando 1 min entre cada intervalo; 1,6 km para volver a la calma |

*Nota:* Aunque no siempre se va a especificar en la tabla, siempre debe calentar y enfriar apropiadamente con intensidad suave. Cuando no se especifique ni la distancia ni el tiempo, utilice su propio criterio para completar el ejercicio con la distancia apropiada para su nivel de condición física actual y sus capacidades. Configure siempre su propio programa basándose en la fase de entrenamiento en la que se encuentre y en sus metas individuales.

| Jueves | Viernes | Sábado | Domingo |
|---|---|---|---|
| : 2.000 m suaves<br><br> : 90 min suaves de spinning a 90 rpm o más | : 1.500 m seguidos de ejercicios | : 97 km de spinning suave a 90 rpm o más | : 90 min suaves |
| : 1 h suave<br> : Ejercicios | (CLAVE): ejercicio de ritmo sostenible de la pág. 85 | : 121 km de spinning suave a 90 rpm o más | (FC): 90 min en la zona de recuperación y resistencia<br> : Ejercicios |
| : 1 h suave, 15 min a paso tempo en mitad de la carrera<br> : 15 min de calentamiento suave seguido de juego de ejercicios | 200 m suaves seguidos de ejercicios | (FC): 121 km en la zona de recuperación y resistencia | (CLAVE): 90 min de carrera: 30 min suaves, 30 en carrera a tempo, 30 min suaves |
| : 1 h de carrera suave | 1.800 m seguidos de un juego de ejercicios | (FC): 121 km en la zona de recuperación y resistencia<br> 15 min de calentamiento seguido de un juego de ejercicios | (FC): 90 min de carrera suave en la zona de recuperación y resistencia |
| (CLAVE): 45 min de carrera a tempo o carrera de FC en la zona aeróbica y tempo | 500 m suaves, seguidos de ejercicios | (CLAVE): 161 km de bici en recorrido con cuestas del ejercicio de la pág. 92 para incluir uno de FC con cuestas y que constituya un reto | (FC): 90 min de carrera suave en la zona de recuperación y resistencia |
| : carrera en grupo de 13-16 km a un ritmo de conversación o una carrera suave de 1 h<br> Ejercicios | : (CLAVE): ejercicio duro-suave-duro de la pág. 87, modifique la distancia a 4 × 100 m a ritmo rápido, 2 × 100 m muy suave, y 4 × 100 m a ritmo rápido | : 40 km de spinning suave a 90 rpm o más (o bien):<br> 30 min suaves seguidos de un juego de ejercicios | / bloque (80/20)<br> : 121 km a un ritmo normal o en la zona aeróbica y tempo<br> : 70 min suaves |
| : 40 min suaves seguidos de 15 min a ritmo de carrera, 10 min para volver a la calma | : (CLAVE): ejercicio de ritmo sostenible de la pág. 85, 2 × 1.900 m (no modifique la distancia) | (FC): 64 km en la zona aeróbica y tempo | (FC): 29-32 km en la zona base de recuperación y resistencia |
| : 2.400 m seguidos de un juego de ejercicios | : 45 min suaves | (FC): 97 km en la zona aeróbica y tempo | : 23-26 km en la zona aeróbica y tempo |

- El tiempo que tarda en llegar a una carrera que se encuentra lejos.
- Su estado mental (si está quemado por su entrenamiento, puede que necesite un poquito más de tiempo de reducción).

Con una prueba Ironman por delante, debería considerar hacer un programa de reducción de dos semanas. El cuadro de la pág. 137 le recomienda el tiempo total que debería entrenar. Simplemente divida las tres disciplinas en las mismas proporciones que ha estado haciendo, o si prefiere hacer un poco más de recuperación, céntrese en los ejercicios de natación, en marchas suaves en bici y carreras a pie fáciles.

# CAPÍTULO 12

# Diario y herramientas de seguimiento de los entrenamientos

Cuando echo un vistazo a mis primeros diarios de entrenamiento, mi reacción inicial es secarme las lágrimas o soltar una risita muy sentida. Ojeo las páginas de mi primer diario de carrera a pie y leo el desgarrador recuento de los últimos 16 km de mi primer maratón cuando sufrí una lesión de rodilla. Recuerdo lo duro que entrené para esa prueba, sólo para que la rodilla reventase en el kilómetro 26 y me sintiera tan destrozado después.

Entonces ojeé mi primer diario de entrenamiento triatlón y me reí en silencio al recordar cómo me relajé tras nadar el recorrido en zigzag en aguas abiertas y la pequeña caída que tuve en el segmento de ciclismo de mi primer triatlón. Ahora mismo puede estar pensando que cualquiera de estos eventos hubiera podido servirme para que tirara la toalla. Sin embargo, cada uno de ellos me motivó para que siguiera esforzándome más en la siguiente carrera.

Tanto si su diario de entrenamiento le hace gimotear o reír, piense que hay muchas otras razones por las que anotar su entrenamiento aparte de ser una forma de recordar el pasado. Una de las cosas más valiosas por la que es importante mantener estos valiosos diarios de entrenamiento es para recordar los logros que hemos conseguido en el pasado. Pero mantener el diario de su entrenamiento triatlón y otras carreras tiene también otras aplicaciones más prácticas: al anotar todos sus ejercicios en un diario, esquivará las posibles lesiones que pueda sufrir y le servirá para mejorar la ejecución de sus ejercicios.

Si se siente cansado y le duelen un poco las rodillas, un rápido repaso de su diario de entrenamiento le dirá de forma muy sencilla si está haciendo demasiado seguidos un gran número de ejercicios o éstos están siendo de mucha intensidad. Tomar nota de las cosas duras que nos pasan es una manera de ser realista, y es exactamente lo que un diario de entrenamiento pretende que hagamos. A la inversa, si está realizando muy bien sus ejercicios, revisar el entrenamiento los meses previos a la carrera junto con el programa de reducción en la primera o segunda semana previas a la prueba será información muy valiosa que podrá utilizar para sus mejores tiempos personales de entrenamiento en el futuro.

Mantener un diario de entrenamiento fiel a sus ejercicios diarios de natación, ciclismo y carrera a pie es por esto una de las mejores formas de mantenerse al día. Un diario de entrenamiento que registre las variables que afectan a su nivel de energía y rendimiento puede ayudarle a alcanzar sus metas triatlón. Al utilizar la misma metodología, podrá además hacer un seguimiento de las variables, métodos de entrenamiento y factores que le conduzcan a realizar los mejores ejercicios.

En este capítulo podrá contar tanto con los materiales que necesita para crear y mantener un buen diario como con los recursos de entrenamiento que le harán alcanzar a la línea de llegada con una sonrisa en la cara.

Desde establecer sus metas a corto y largo plazo para conseguir récords como planear su entrenamiento semana tras semana, con las siguientes herramientas podrá garantizarse asentarse las bases para una temporada de triatlón eficaz, eficiente y segura. Las páginas del diario de entrenamiento tienen todo lo que necesita para poder registrar sus ejercicios, sin olvidar los apartados que se dirigen específicamente al método de los entrenamientos clave y los basados en el 80/20 que hemos descrito en los capítulos anteriores. Y hay que decir que siempre es divertido echar un vistazo atrás e impresionar a sus amigos con el increíble kilometraje que ha acumulado usted en todo su entrenamiento, así que es una herramienta de resumen del entrenamiento que le ayudará a conseguir precisamente eso.

El programa de metas triatlón (página 144) es una herramienta de planificación útil para mantenerse en el buen camino de su temporada de entrenamiento, como he descrito en el capítulo 1. Aquí es donde tiene que comprometerse con las metas a largo plazo de su carrera y anotar sus metas a corto plazo que le ayuden a conseguirlas de forma eficaz y con el rendimiento que busca. Una vez que haya completado su programa, consulte esta tabla de entrenamiento para asegurarse de que va marcando las metas a corto plazo. No dude en añadir las metas a corto plazo que crea que mejor le ayudarán a llegar a la línea de meta durante la temporada de entrenamiento; recuerde que este entrenamiento es un proceso adaptativo y que puede aprender cosas nuevas o tener otras oportunidades para entrenar que no haya previsto en un principio. Y por último, esta tabla le ayudará a sentirse motivado mientras va tachando las metas a corto plazo que vaya alcanzando, reconociendo que se está acercando todavía más a su principal objetivo.

El programa de puntos de referencia (página 145) le ayudará a establecer sus puntos de referencia en su horario de temporada de entrenamiento (consulte el capítulo 3 si necesita refrescar la memoria sobre qué son los puntos de referencia).

Recuerde que los puntos de referencia son marcas que miden su progreso para ayudarle a determinar que se mantiene en la dirección correcta. Tanto si se trata de carreras de entrenamiento, marchas en bici organizadas o pruebas locales de carrera a pie, estas metas deberían construirse una sobre otra y proporcionarle unos retos cada vez mayores. Esta tabla sirve para comprobar los beneficios que puede conseguir, una herramienta útil que le garantiza que no se engaña a sí mismo en su propio progreso de entrenamiento.

El diario de entrenamiento de ocho semanas al final de este capítulo se compone de tres hojas distintas, cada una diseñada para programar y hacer un seguimiento de su entrenamiento de cada día, semana y mes. Utilice las hojas del programa de entrenamiento semanal para planificar su entrenamiento semanal. Es importante que le dedique algo de tiempo la noche del domingo o antes de empezar el entrenamiento de la semana para sentarse, reflexionar en las metas de la semana siguiente y planificar su entrenamiento de manera apropiada. Si se acostumbra a hacer esto, se sentirá motivado mientras espera con impaciencia la semana del entrenamiento que le queda por delante y hace los ajustes necesarios en su horario. De nuevo, sea inteligente, adáptese y ajústese a su horario de entrenamiento según vaya viendo. Programarse a diario el entrenamiento también le ayudará a mantener equilibradas sus prioridades; sea diligente a la hora de asegurar que otros aspectos importantes de su vida no se ven perjudicados cuando programe su próxima semana.

Utilice las páginas del diario de entrenamiento para hacer un seguimiento de sus ejercicios de cada día. Aunque puede que no necesite o no quiera completar todas las casillas de información, cuanto más registre de sus ejercicios, más útil y funcional resultará su diario de entrenamiento. Recuerde: para poder concretar las variables que contribuyen a que rinda más en el ejercicio o las pistas que le pueden ayudar a evitar sufrir lesiones, tendrá que ser diligente y detallista con las anotaciones de su entrenamiento. Comprométase con un tiempo determinado para completar su diario de entrenamiento. El mejor momento para hacerlo es inmediatamente después de un ejercicio, cuando la mente está fresca y el espíritu avivado por el máximo ejercicio.

Utilice la página de entrenamiento mensual, al final del diario de entrenamiento de ocho semanas, para hacer un seguimiento anual y actualizado hasta la fecha (o temporada de entrenamiento) de sus totales, así como las sumas de los totales mensuales. Si prefiere entrenar utilizando las mediciones basadas en el tiempo, puede utilizar las páginas del diario para hacer un seguimiento de los minutos o combinación del tiempo y distancia del entrenamiento. Por último, encontrará al final de este capítulo varias páginas de notas en blanco.

El triatlón es un deporte maravilloso que combina tres disciplinas que hacen latir con fuerza a nuestro corazón en una experiencia muy estimulante, llena de adrenalina y de potencia. Diseñar, crear y anotar esa experiencia requiere una reflexión previa y planificación. Como cualquier otra cosa buena que quiera que ocurra en su vida, tiene que prestar atención al día a día, con inteligencia y un poco de improvisación artística.

Espero que las herramientas de programación y el diario de entrenamiento de este libro sean un recurso útil para que alcance sus metas triatlón, al mismo tiempo que le proporcionan la flexibilidad para adaptar su entrenamiento a sus propias necesidades individuales.

Sueñe con el entrenamiento. Planifique el entrenamiento. Haga el entrenamiento. Y lo más importante: ¡diviértase con ello!

**Tabla 12.1  Programa de metas**

| Meta a largo plazo | Fecha límite o metros |
|---|---|
|  |  |
| Metas a corto plazo | Fecha de la carrera: |
|  |  |
|  |  |
|  |  |
|  |  |
|  |  |
|  |  |
|  |  |
|  |  |

## Tabla 12.2 Programa de puntos de referencia

| Descripción del punto de referencia | ¿Cómo le ayudará esto a alcanzar su meta a largo plazo? ¿Por qué es importante? | Fecha límite |
|---|---|---|
| | | |
| | | |
| | | |
| | | |
| | | |
| | | |

*Primera semana*

## Hoja de planificación semanal

La meta de esta semana _____

Fase de entrenamiento (marque una):     base     VTH     máximo rendimiento     reducción

|  | Ejercicio | Distancia o tiempo | Tipo o intensidad | Recorrido | Notas |
|---|---|---|---|---|---|
| Lunes |  |  |  |  |  |
| Martes |  |  |  |  |  |
| Miércoles |  |  |  |  |  |
| Jueves |  |  |  |  |  |
| Viernes |  |  |  |  |  |
| Sábado |  |  |  |  |  |
| Domingo |  |  |  |  |  |

Distancia marcada como objetivo y totales de tiempo para esta semana:

Natación: _____     Ciclismo: _____     Carrera a pie: _____

## Diario de entrenamiento del día

*Meta de hoy*  *Días antes de la carrera:* _____

### Datos de hoy

Fecha: _____  Condiciones meteorológicas: _____

Hora: _____  Recorrido: _____

Temperatura: _____  Compañeros de entrenamiento: _____

### Ejercicios 80/20

☐ Intervalos   ☐ Bloque   ☐ Simulación de carrera   ☐ Carencias   ☐ Potencia

¿Es éste también un ejercicio clave de entrenamiento?   ☐ Sí   ☐ No

Relevancia de la regla 80/20 para alcanzar la meta:   ☐ Alta   ☐ Moderada   ☐ Baja

### Información sobre el ejercicio

Disciplina:   ☐ Natación   ☐ Bicicleta   ☐ Carrera   ☐ Otros

Distancia:   _____   _____   _____   _____

Tiempo total:   _____   _____   _____   _____

Intensidad:   _____   _____   _____   _____

### Otros detalles

Calentamiento: _____   Enfriamiento: _____   Flexibilidad de entrenamiento: _____

Entrenamiento de fuerza: _____   Pesas _____   Series _____   Repeticiones _____

### Resultados y observaciones

Ritmo/paso: _____   Interrupciones: _____

**Entrenamiento de frecuencia cardiaca:** Frecuencia cardiaca en reposo: _____

*Zona de entrenamiento:*   ☐ Recuperación/resistencia   ☐ Aeróbica/tempo   ☐ Umbral anaeróbico

% de tiempo empleado en la zona de entrenamiento: _____

**Indicadores de lesiones sobreesfuerzo:**   Dolor de articulaciones   ☐ Sí   ☐ No

Mal humor   ☐ Sí   ☐ No

Recuperación lenta   ☐ Sí   ☐ No

Otros: _____

### Notas de entrenamiento y alimentación

## Diario de entrenamiento del día

*Meta de hoy*                              *Días antes de la carrera:* _____

*Datos de hoy*

Fecha: _____    Condiciones meteorológicas: _____

Hora: _____    Recorrido: _____

Temperatura: _____    Compañeros de entrenamiento: _____

*Ejercicios 80/20*

☐ Intervalos      ☐ Bloque      ☐ Simulación de carrera      ☐ Carencias      ☐ Potencia

¿Es éste también un ejercicio clave de entrenamiento?      ☐ Sí    ☐ No

Relevancia de la regla 80/20 para alcanzar la meta:      ☐ Alta      ☐ Moderada      ☐ Baja

*Información sobre el ejercicio*

Disciplina:    ☐ Natación          ☐ Bicicleta          ☐ Carrera          ☐ Otros

Distancia:      _____    _____    _____    _____

Tiempo total: _____    _____    _____    _____

Intensidad:    _____    _____    _____    _____

*Otros detalles*

Calentamiento: _____    Enfriamiento: _____    Flexibilidad de entrenamiento: _____

Entrenamiento de fuerza: _____    Pesas _____    Series _____    Repeticiones _____

*Resultados y observaciones*

Ritmo/paso: _____    Interrupciones: _____

*Entrenamiento de frecuencia cardiaca:* Frecuencia cardiaca en reposo: _____

*Zona de entrenamiento:*    ☐ Recuperación/resistencia      ☐ Aeróbica/tempo      ☐ Umbral anaeróbico

% de tiempo empleado en la zona de entrenamiento: _____

*Indicadores de lesiones sobreesfuerzo:*    Dolor de articulaciones    ☐ Sí    ☐ No

Mal humor    ☐ Sí    ☐ No

Recuperación lenta    ☐ Sí    ☐ No

Otros: _____

*Notas de entrenamiento y alimentación*

*Primera semana*

## Diario de entrenamiento del día

*Meta de hoy*            *Días antes de la carrera:* _____

### Datos de hoy

Fecha: _____    Condiciones meteorológicas: _____

Hora: _____    Recorrido: _____

Temperatura: _____    Compañeros de entrenamiento: _____

### Ejercicios 80/20

☐ Intervalos     ☐ Bloque     ☐ Simulación de carrera     ☐ Carencias     ☐ Potencia

¿Es éste también un ejercicio clave de entrenamiento?    ☐ Sí    ☐ No

Relevancia de la regla 80/20 para alcanzar la meta:    ☐ Alta    ☐ Moderada    ☐ Baja

### Información sobre el ejercicio

Disciplina:    ☐ Natación      ☐ Bicicleta      ☐ Carrera      ☐ Otros

Distancia:    _____    _____    _____    _____

Tiempo total:    _____    _____    _____    _____

Intensidad:    _____    _____    _____    _____

### Otros detalles

Calentamiento: _____    Enfriamiento: _____    Flexibilidad de entrenamiento: _____

Entrenamiento de fuerza: _____    Pesas _____    Series _____    Repeticiones _____

### Resultados y observaciones

Ritmo/paso: _____    Interrupciones: _____

*Entrenamiento de frecuencia cardiaca:* Frecuencia cardiaca en reposo: _____

*Zona de entrenamiento:*    ☐ Recuperación/resistencia    ☐ Aeróbica/tempo    ☐ Umbral anaeróbico

% de tiempo empleado en la zona de entrenamiento: _____

*Indicadores de lesiones sobreesfuerzo:*    Dolor de articulaciones    ☐ Sí    ☐ No

                                            Mal humor    ☐ Sí    ☐ No

                                            Recuperación lenta    ☐ Sí    ☐ No

                                            Otros: _____

### Notas de entrenamiento y alimentación

## Diario de entrenamiento del día

*Meta de hoy*                                    *Días antes de la carrera:* _____

### Datos de hoy

Fecha: _____        Condiciones meteorológicas: _____

Hora: _____        Recorrido: _____

Temperatura:_____        Compañeros de entrenamiento: _____

### Ejercicios 80/20

☐ Intervalos     ☐ Bloque     ☐ Simulación de carrera     ☐ Carencias     ☐ Potencia

¿Es éste también un ejercicio clave de entrenamiento?     ☐ Sí     ☐ No

Relevancia de la regla 80/20 para alcanzar la meta:     ☐ Alta     ☐ Moderada     ☐ Baja

### Información sobre el ejercicio

Disciplina:     ☐ Natación          ☐ Bicicleta          ☐ Carrera          ☐ Otros

Distancia:     _____     _____     _____     _____

Tiempo total: _____     _____     _____     _____

Intensidad:    _____     _____     _____     _____

### Otros detalles

Calentamiento: _____     Enfriamiento: _____     Flexibilidad de entrenamiento: _____

Entrenamiento de fuerza: _____     Pesas _____     Series _____     Repeticiones _____

### Resultados y observaciones

Ritmo/paso: _____        Interrupciones: _____

*Entrenamiento de frecuencia cardiaca:* Frecuencia cardiaca en reposo: _____

*Zona de entrenamiento:*     ☐ Recuperación/resistencia     ☐ Aeróbica/tempo     ☐ Umbral anaeróbico

% de tiempo empleado en la zona de entrenamiento: _____

*Indicadores de lesiones sobreesfuerzo:*     Dolor de articulaciones     ☐ Sí     ☐ No

                                             Mal humor                  ☐ Sí     ☐ No

                                             Recuperación lenta         ☐ Sí     ☐ No

                                             Otros: _____

### Notas de entrenamiento y alimentación

## Diario de entrenamiento del día

### Meta de hoy

**Días antes de la carrera:** _____

### Datos de hoy

Fecha: _____     Condiciones meteorológicas: _____

Hora: _____     Recorrido: _____

Temperatura: _____     Compañeros de entrenamiento: _____

### Ejercicios 80/20

☐ Intervalos     ☐ Bloque     ☐ Simulación de carrera     ☐ Carencias     ☐ Potencia

¿Es éste también un ejercicio clave de entrenamiento?     ☐ Sí     ☐ No

Relevancia de la regla 80/20 para alcanzar la meta:     ☐ Alta     ☐ Moderada     ☐ Baja

### Información sobre el ejercicio

Disciplina:     ☐ Natación     ☐ Bicicleta     ☐ Carrera     ☐ Otros

Distancia: _____ _____ _____ _____

Tiempo total: _____ _____ _____ _____

Intensidad: _____ _____ _____ _____

### Otros detalles

Calentamiento: _____     Enfriamiento: _____     Flexibilidad de entrenamiento: _____

Entrenamiento de fuerza: _____     Pesas _____     Series _____     Repeticiones _____

### Resultados y observaciones

Ritmo/paso: _____     Interrupciones: _____

**Entrenamiento de frecuencia cardiaca:** Frecuencia cardiaca en reposo: _____

*Zona de entrenamiento:*     ☐ Recuperación/resistencia     ☐ Aeróbica/tempo     ☐ Umbral anaeróbico

% de tiempo empleado en la zona de entrenamiento: _____

**Indicadores de lesiones sobreesfuerzo:**     Dolor de articulaciones     ☐ Sí     ☐ No

Mal humor     ☐ Sí     ☐ No

Recuperación lenta     ☐ Sí     ☐ No

Otros: _____

### Notas de entrenamiento y alimentación

## Diario de entrenamiento del día

*Meta de hoy*                    *Días antes de la carrera:* _____

### Datos de hoy

Fecha: _____     Condiciones meteorológicas: _____

Hora: _____     Recorrido: _____

Temperatura: _____     Compañeros de entrenamiento: _____

### Ejercicios 80/20

☐ Intervalos     ☐ Bloque     ☐ Simulación de carrera     ☐ Carencias     ☐ Potencia

¿Es éste también un ejercicio clave de entrenamiento?     ☐ Sí     ☐ No

Relevancia de la regla 80/20 para alcanzar la meta:     ☐ Alta     ☐ Moderada     ☐ Baja

### Información sobre el ejercicio

Disciplina:     ☐ Natación          ☐ Bicicleta          ☐ Carrera          ☐ Otros

Distancia: _____   _____   _____   _____

Tiempo total: _____   _____   _____   _____

Intensidad: _____   _____   _____   _____

### Otros detalles

Calentamiento: _____   Estiramiento: _____   Flexibilidad de entrenamiento: _____

Entrenamiento de fuerza: _____   Pesas _____   Series _____   Repeticiones _____

### Resultados y observaciones

Ritmo/paso: _____     Interrupciones: _____

*Entrenamiento de frecuencia cardiaca:* Frecuencia cardiaca en reposo: _____

*Zona de entrenamiento:*     ☐ Recuperación/resistencia     ☐ Aeróbica/tempo     ☐ Umbral anaeróbico

% de tiempo empleado en la zona de entrenamiento: _____

*Indicadores de lesiones sobreesfuerzo:*     Dolor de articulaciones     ☐ Sí     ☐ No

Mal humor     ☐ Sí     ☐ No

Recuperación lenta     ☐ Sí     ☐ No

Otros: _____

### Notas de entrenamiento y alimentación

## Diario de entrenamiento del día

**Meta de hoy**                    **Días antes de la carrera:** _____

### Datos de hoy

Fecha: _____     Condiciones meteorológicas: _____

Hora: _____      Recorrido: _____

Temperatura: _____    Compañeros de entrenamiento: _____

### Ejercicios 80/20

☐ Intervalos     ☐ Bloque     ☐ Simulación de carrera     ☐ Carencias     ☐ Potencia

¿Es éste también un ejercicio clave de entrenamiento?     ☐ Sí     ☐ No

Relevancia de la regla 80/20 para alcanzar la meta:     ☐ Alta     ☐ Moderada     ☐ Baja

### Información sobre el ejercicio

Disciplina:     ☐ Natación          ☐ Bicicleta          ☐ Carrera          ☐ Otros

Distancia: _____     _____     _____     _____

Tiempo total: _____     _____     _____     _____

Intensidad: _____     _____     _____     _____

### Otros detalles

Calentamiento: _____     Enfriamiento: _____     Flexibilidad de entrenamiento: _____

Entrenamiento de fuerza: _____     Pesas _____     Series _____     Repeticiones _____

### Resultados y observaciones

Ritmo/paso: _____     Interrupciones: _____

**Entrenamiento de frecuencia cardiaca:** Frecuencia cardiaca en reposo: _____

*Zona de entrenamiento:*     ☐ Recuperación/resistencia     ☐ Aeróbica/tempo     ☐ Umbral anaeróbico

% de tiempo empleado en la zona de entrenamiento: _____

**Indicadores de lesiones sobreesfuerzo:**     Dolor de articulaciones     ☐ Sí     ☐ No

                                                Mal humor                   ☐ Sí     ☐ No

                                                Recuperación lenta          ☐ Sí     ☐ No

                                                Otros: _____

### Notas de entrenamiento y alimentación

*Segunda semana*

## Hoja de planificación semanal

La meta de esta semana _____

Fase de entrenamiento (marque una):     base     VTH     máximo rendimiento     reducción

|  | Ejercicio | Distancia o tiempo | Tipo o intensidad | Recorrido | Notas |
|---|---|---|---|---|---|
| Lunes |  |  |  |  |  |
| Martes |  |  |  |  |  |
| Miércoles |  |  |  |  |  |
| Jueves |  |  |  |  |  |
| Viernes |  |  |  |  |  |
| Sábado |  |  |  |  |  |
| Domingo |  |  |  |  |  |

Distancia marcada como objetivo y totales de tiempo para esta semana:

Natación: _____     Ciclismo: _____     Carrera a pie: _____

## Diario de entrenamiento del día

*Meta de hoy*                    *Días antes de la carrera:* _____

### Datos de hoy

Fecha: _____          Condiciones meteorológicas: _____

Hora: _____          Recorrido: _____

Temperatura: _____          Compañeros de entrenamiento: _____

### Ejercicios 80/20

☐ Intervalos      ☐ Bloque      ☐ Simulación de carrera      ☐ Carencias      ☐ Potencia

¿Es éste también un ejercicio clave de entrenamiento?      ☐ Sí      ☐ No

Relevancia de la regla 80/20 para alcanzar la meta:      ☐ Alta      ☐ Moderada      ☐ Baja

### Información sobre el ejercicio

Disciplina:     ☐ Natación           ☐ Bicicleta           ☐ Carrera           ☐ Otros

Distancia:      _____     _____     _____     _____

Tiempo total:   _____     _____     _____     _____

Intensidad:     _____     _____     _____     _____

### Otros detalles

Calentamiento: _____    Enfriamiento: _____    Flexibilidad de entrenamiento: _____

Entrenamiento de fuerza: _____    Pesas _____    Series _____    Repeticiones _____

### Resultados y observaciones

Ritmo/paso: _____          Interrupciones: _____

*Entrenamiento de frecuencia cardiaca:* Frecuencia cardiaca en reposo: _____

*Zona de entrenamiento:*     ☐ Recuperación/resistencia      ☐ Aeróbica/tempo      ☐ Umbral anaeróbico

% de tiempo empleado en la zona de entrenamiento: _____

*Indicadores de lesiones sobreesfuerzo:*     Dolor de articulaciones     ☐ Sí     ☐ No

Mal humor     ☐ Sí     ☐ No

Recuperación lenta     ☐ Sí     ☐ No

Otros: _____

### Notas de entrenamiento y alimentación

## Diario de entrenamiento del día

*Meta de hoy*                                      *Días antes de la carrera:* _____

*Datos de hoy*

Fecha: _____                    Condiciones meteorológicas: _____

Hora: _____                     Recorrido: _____

Temperatura: _____              Compañeros de entrenamiento: _____

*Ejercicios 80/20*

☐ Intervalos      ☐ Bloque      ☐ Simulación de carrera      ☐ Carencias      ☐ Potencia

¿Es éste también un ejercicio clave de entrenamiento?      ☐ Sí      ☐ No

Relevancia de la regla 80/20 para alcanzar la meta:      ☐ Alta      ☐ Moderada      ☐ Baja

*Información sobre el ejercicio*

Disciplina:      ☐ Natación      ☐ Bicicleta      ☐ Carrera      ☐ Otros

Distancia: _____  _____  _____  _____

Tiempo total: _____  _____  _____  _____

Intensidad: _____  _____  _____  _____

*Otros detalles*

Calentamiento: _____  Enfriamiento: _____  Flexibilidad de entrenamiento: _____

Entrenamiento de fuerza: _____  Pesas _____  Series _____  Repeticiones _____

*Resultados y observaciones*

Ritmo/paso: _____      Interrupciones: _____

*Entrenamiento de frecuencia cardiaca:* Frecuencia cardiaca en reposo: _____

*Zona de entrenamiento:*      ☐ Recuperación/resistencia      ☐ Aeróbica/tempo      ☐ Umbral anaeróbico

% de tiempo empleado en la zona de entrenamiento: _____

*Indicadores de lesiones sobreesfuerzo:*      Dolor de articulaciones      ☐ Sí      ☐ No

                                                Mal humor      ☐ Sí      ☐ No

                                                Recuperación lenta      ☐ Sí      ☐ No

                                                Otros: _____

*Notas de entrenamiento y alimentación*

*Segunda semana*

## Diario de entrenamiento del día

**Meta de hoy**                              **Días antes de la carrera:** _____

### Datos de hoy

Fecha: _____     Condiciones meteorológicas: _____

Hora: _____     Recorrido: _____

Temperatura: _____     Compañeros de entrenamiento: _____

### Ejercicios 80/20

☐ Intervalos        ☐ Bloque        ☐ Simulación de carrera        ☐ Carencias        ☐ Potencia

¿Es éste también un ejercicio clave de entrenamiento?        ☐ Sí        ☐ No

Relevancia de la regla 80/20 para alcanzar la meta:        ☐ Alta        ☐ Moderada        ☐ Baja

### Información sobre el ejercicio

Disciplina:     ☐ Natación            ☐ Bicicleta            ☐ Carrera            ☐ Otros

Distancia:      _____    _____    _____    _____

Tiempo total:  _____    _____    _____    _____

Intensidad:     _____    _____    _____    _____

### Otros detalles

Calentamiento: _____     Enfriamiento: _____     Flexibilidad de entrenamiento: _____

Entrenamiento de fuerza: _____     Pesas _____     Series _____     Repeticiones _____

### Resultados y observaciones

Ritmo/paso: _____        Interrupciones: _____

*Entrenamiento de frecuencia cardiaca:* Frecuencia cardiaca en reposo: _____

*Zona de entrenamiento:*     ☐ Recuperación/resistencia        ☐ Aeróbica/tempo        ☐ Umbral anaeróbico

% de tiempo empleado en la zona de entrenamiento: _____

*Indicadores de lesiones sobreesfuerzo:*     Dolor de articulaciones     ☐ Sí     ☐ No

                                            Mal humor                        ☐ Sí     ☐ No

                                            Recuperación lenta           ☐ Sí     ☐ No

                                            Otros: _____

### Notas de entrenamiento y alimentación

## Diario de entrenamiento del día

*Meta de hoy*                          *Días antes de la carrera:* _____

### Datos de hoy

Fecha: _____     Condiciones meteorológicas: _____

Hora: _____     Recorrido: _____

Temperatura:_____     Compañeros de entrenamiento: _____

### Ejercicios 80/20

☐ Intervalos     ☐ Bloque     ☐ Simulación de carrera     ☐ Carencias     ☐ Potencia

¿Es éste también un ejercicio clave de entrenamiento?     ☐ Sí     ☐ No

Relevancia de la regla 80/20 para alcanzar la meta:     ☐ Alta     ☐ Moderada     ☐ Baja

### Información sobre el ejercicio

Disciplina:     ☐ Natación          ☐ Bicicleta          ☐ Carrera          ☐ Otros

Distancia:     _____     _____     _____     _____

Tiempo total: _____     _____     _____     _____

Intensidad:     _____     _____     _____     _____

### Otros detalles

Calentamiento: _____     Enfriamiento: _____     Flexibilidad de entrenamiento: _____

Entrenamiento de fuerza: _____     Pesas _____     Series _____     Repeticiones _____

### Resultados y observaciones

Ritmo/paso: _____     Interrupciones: _____

***Entrenamiento de frecuencia cardiaca:*** Frecuencia cardiaca en reposo: _____

*Zona de entrenamiento:*     ☐ Recuperación/resistencia     ☐ Aeróbica/tempo     ☐ Umbral anaeróbico

% de tiempo empleado en la zona de entrenamiento: _____

***Indicadores de lesiones sobreesfuerzo:***     Dolor de articulaciones     ☐ Sí     ☐ No

                                                  Mal humor     ☐ Sí     ☐ No

                                                  Recuperación lenta     ☐ Sí     ☐ No

                                                  Otros: _____

### Notas de entrenamiento y alimentación

## Diario de entrenamiento del día

*Meta de hoy*                    *Días antes de la carrera:* _____

### Datos de hoy

Fecha: _____     Condiciones meteorológicas: _____

Hora: _____     Recorrido: _____

Temperatura: _____     Compañeros de entrenamiento: _____

### Ejercicios 80/20

☐ Intervalos     ☐ Bloque     ☐ Simulación de carrera     ☐ Carencias     ☐ Potencia

¿Es éste también un ejercicio clave de entrenamiento?     ☐ Sí     ☐ No

Relevancia de la regla 80/20 para alcanzar la meta:     ☐ Alta     ☐ Moderada     ☐ Baja

### Información sobre el ejercicio

Disciplina:     ☐ Natación     ☐ Bicicleta     ☐ Carrera     ☐ Otros

Distancia: _____     _____     _____     _____

Tiempo total: _____     _____     _____     _____

Intensidad: _____     _____     _____     _____

### Otros detalles

Calentamiento: _____     Enfriamiento: _____     Flexibilidad de entrenamiento: _____

Entrenamiento de fuerza: _____     Pesas _____     Series _____     Repeticiones _____

### Resultados y observaciones

Ritmo/paso: _____     Interrupciones: _____

*Entrenamiento de frecuencia cardiaca:* Frecuencia cardiaca en reposo: _____

*Zona de entrenamiento:*     ☐ Recuperación/resistencia     ☐ Aeróbica/tempo     ☐ Umbral anaeróbico

% de tiempo empleado en la zona de entrenamiento: _____

*Indicadores de lesiones sobreesfuerzo:*     Dolor de articulaciones     ☐ Sí     ☐ No

Mal humor     ☐ Sí     ☐ No

Recuperación lenta     ☐ Sí     ☐ No

Otros: _____

### Notas de entrenamiento y alimentación

## Diario de entrenamiento del día

*Meta de hoy*                          *Días antes de la carrera:* _____

### Datos de hoy

Fecha: _____    Condiciones meteorológicas: _____

Hora: _____     Recorrido: _____

Temperatura:_____    Compañeros de entrenamiento: _____

### Ejercicios 80/20

☐ Intervalos    ☐ Bloque    ☐ Simulación de carrera    ☐ Carencias    ☐ Potencia

¿Es éste también un ejercicio clave de entrenamiento?    ☐ Sí    ☐ No

Relevancia de la regla 80/20 para alcanzar la meta:    ☐ Alta    ☐ Moderada    ☐ Baja

### Información sobre el ejercicio

Disciplina:    ☐ Natación    ☐ Bicicleta    ☐ Carrera    ☐ Otros

Distancia:    _____    _____    _____    _____

Tiempo total:    _____    _____    _____    _____

Intensidad:    _____    _____    _____    _____

### Otros detalles

Calentamiento: _____    Enfriamiento: _____    Flexibilidad de entrenamiento: _____

Entrenamiento de fuerza: _____    Pesas _____    Series _____    Repeticiones _____

### Resultados y observaciones

Ritmo/paso: _____    Interrupciones: _____

*Entrenamiento de frecuencia cardiaca:* Frecuencia cardiaca en reposo: _____

*Zona de entrenamiento:*    ☐ Recuperación/resistencia    ☐ Aeróbica/tempo    ☐ Umbral anaeróbico

% de tiempo empleado en la zona de entrenamiento: _____

*Indicadores de lesiones sobreesfuerzo:*    Dolor de articulaciones    ☐ Sí    ☐ No

Mal humor    ☐ Sí    ☐ No

Recuperación lenta    ☐ Sí    ☐ No

Otros: _____

### Notas de entrenamiento y alimentación

## Diario de entrenamiento del día

*Meta de hoy*                    *Días antes de la carrera:* _____

### Datos de hoy

Fecha: _____     Condiciones meteorológicas: _____

Hora: _____     Recorrido: _____

Temperatura: _____     Compañeros de entrenamiento: _____

### Ejercicios 80/20

☐ Intervalos      ☐ Bloque      ☐ Simulación de carrera      ☐ Carencias      ☐ Potencia

¿Es éste también un ejercicio clave de entrenamiento?      ☐ Sí      ☐ No

Relevancia de la regla 80/20 para alcanzar la meta:      ☐ Alta      ☐ Moderada      ☐ Baja

### Información sobre el ejercicio

Disciplina:      ☐ Natación            ☐ Bicicleta            ☐ Carrera            ☐ Otros

Distancia: _____   _____   _____   _____

Tiempo total: _____   _____   _____   _____

Intensidad: _____   _____   _____   _____

### Otros detalles

Calentamiento: _____   Enfriamiento: _____   Flexibilidad de entrenamiento: _____

Entrenamiento de fuerza: _____   Pesas _____   Series _____   Repeticiones _____

### Resultados y observaciones

Ritmo/paso: _____     Interrupciones: _____

*Entrenamiento de frecuencia cardiaca:* Frecuencia cardiaca en reposo: _____

*Zona de entrenamiento:*   ☐ Recuperación/resistencia   ☐ Aeróbica/tempo   ☐ Umbral anaeróbico

% de tiempo empleado en la zona de entrenamiento: _____

*Indicadores de lesiones sobreesfuerzo:*      Dolor de articulaciones   ☐ Sí   ☐ No

                                                     Mal humor   ☐ Sí   ☐ No

                                                     Recuperación lenta   ☐ Sí   ☐ No

                                                     Otros: _____

### Notas de entrenamiento y alimentación

*Tercera semana*

## Hoja de planificación semanal

La meta de esta semana _____

Fase de entrenamiento (marque una):     base     VTH     máximo rendimiento     reducción

| | Ejercicio | Distancia o tiempo | Tipo o intensidad | Recorrido | Notas |
|---|---|---|---|---|---|
| Lunes | | | | | |
| Martes | | | | | |
| Miércoles | | | | | |
| Jueves | | | | | |
| Viernes | | | | | |
| Sábado | | | | | |
| Domingo | | | | | |

Distancia marcada como objetivo y totales de tiempo para esta semana:

Natación: _____    Ciclismo: _____    Carrera a pie: _____

*Tercera semana*

## Diario de entrenamiento del día

*Meta de hoy*                              *Días antes de la carrera:* _____

### Datos de hoy

Fecha: _____        Condiciones meteorológicas: _____

Hora: _____         Recorrido: _____

Temperatura: _____  Compañeros de entrenamiento: _____

### Ejercicios 80/20

☐ Intervalos      ☐ Bloque      ☐ Simulación de carrera      ☐ Carencias      ☐ Potencia

¿Es éste también un ejercicio clave de entrenamiento?      ☐ Sí      ☐ No

Relevancia de la regla 80/20 para alcanzar la meta:      ☐ Alta      ☐ Moderada      ☐ Baja

### Información sobre el ejercicio

Disciplina:      ☐ Natación            ☐ Bicicleta            ☐ Carrera            ☐ Otros

Distancia:      _____      _____      _____      _____

Tiempo total:  _____      _____      _____      _____

Intensidad:    _____      _____      _____      _____

### Otros detalles

Calentamiento: _____   Enfriamiento: _____   Flexibilidad de entrenamiento: _____

Entrenamiento de fuerza: _____   Pesas _____   Series _____   Repeticiones _____

### Resultados y observaciones

Ritmo/paso: _____        Interrupciones: _____

*Entrenamiento de frecuencia cardiaca:* Frecuencia cardiaca en reposo: _____

*Zona de entrenamiento:*   ☐ Recuperación/resistencia   ☐ Aeróbica/tempo   ☐ Umbral anaeróbico

% de tiempo empleado en la zona de entrenamiento: _____

*Indicadores de lesiones sobreesfuerzo:*      Dolor de articulaciones   ☐ Sí   ☐ No

                                              Mal humor                 ☐ Sí   ☐ No

                                              Recuperación lenta        ☐ Sí   ☐ No

                                              Otros: _____

### Notas de entrenamiento y alimentación

*Tercera semana*

## Diario de entrenamiento del día

*Meta de hoy*                    *Días antes de la carrera:* _____

### Datos de hoy

Fecha: _____     Condiciones meteorológicas: _____

Hora: _____     Recorrido: _____

Temperatura: _____     Compañeros de entrenamiento: _____

### Ejercicios 80/20

☐ Intervalos     ☐ Bloque     ☐ Simulación de carrera     ☐ Carencias     ☐ Potencia

¿Es éste también un ejercicio clave de entrenamiento?     ☐ Sí     ☐ No

Relevancia de la regla 80/20 para alcanzar la meta:     ☐ Alta     ☐ Moderada     ☐ Baja

### Información sobre el ejercicio

Disciplina:     ☐ Natación          ☐ Bicicleta          ☐ Carrera          ☐ Otros

Distancia: _____   _____   _____   _____

Tiempo total: _____   _____   _____   _____

Intensidad: _____   _____   _____   _____

### Otros detalles

Calentamiento: _____     Enfriamiento: _____     Flexibilidad de entrenamiento: _____

Entrenamiento de fuerza: _____     Pesas _____     Series _____     Repeticiones _____

### Resultados y observaciones

Ritmo/paso: _____     Interrupciones: _____

*Entrenamiento de frecuencia cardiaca:* Frecuencia cardiaca en reposo: _____

*Zona de entrenamiento:*     ☐ Recuperación/resistencia     ☐ Aeróbica/tempo     ☐ Umbral anaeróbico

% de tiempo empleado en la zona de entrenamiento: _____

*Indicadores de lesiones sobreesfuerzo:*     Dolor de articulaciones     ☐ Sí     ☐ No

                                             Mal humor                    ☐ Sí     ☐ No

                                             Recuperación lenta           ☐ Sí     ☐ No

                                             Otros: _____

### Notas de entrenamiento y alimentación

## Diario de entrenamiento del día

*Meta de hoy*           *Días antes de la carrera:* _____

### Datos de hoy

Fecha: _____     Condiciones meteorológicas: _____

Hora: _____     Recorrido: _____

Temperatura: _____     Compañeros de entrenamiento: _____

### Ejercicios 80/20

☐ Intervalos     ☐ Bloque     ☐ Simulación de carrera     ☐ Carencias     ☐ Potencia

¿Es éste también un ejercicio clave de entrenamiento?     ☐ Sí     ☐ No

Relevancia de la regla 80/20 para alcanzar la meta:     ☐ Alta     ☐ Moderada     ☐ Baja

### Información sobre el ejercicio

Disciplina:     ☐ Natación     ☐ Bicicleta     ☐ Carrera     ☐ Otros

Distancia:     _____     _____     _____     _____

Tiempo total:     _____     _____     _____     _____

Intensidad:     _____     _____     _____     _____

### Otros detalles

Calentamiento: _____     Enfriamiento: _____     Flexibilidad de entrenamiento: _____

Entrenamiento de fuerza: _____     Pesas _____     Series _____     Repeticiones _____

### Resultados y observaciones

Ritmo/paso: _____     Interrupciones: _____

*Entrenamiento de frecuencia cardiaca:* Frecuencia cardiaca en reposo: _____

*Zona de entrenamiento:*     ☐ Recuperación/resistencia     ☐ Aeróbica/tempo     ☐ Umbral anaeróbico

% de tiempo empleado en la zona de entrenamiento: _____

*Indicadores de lesiones sobreesfuerzo:*     Dolor de articulaciones     ☐ Sí     ☐ No

                        Mal humor     ☐ Sí     ☐ No

                        Recuperación lenta     ☐ Sí     ☐ No

                        Otros: _____

### Notas de entrenamiento y alimentación

## Diario de entrenamiento del día

*Meta de hoy*                         *Días antes de la carrera:* _____

### Datos de hoy

Fecha: _____    Condiciones meteorológicas: _____

Hora: _____    Recorrido: _____

Temperatura: _____    Compañeros de entrenamiento: _____

### Ejercicios 80/20

☐ Intervalos    ☐ Bloque    ☐ Simulación de carrera    ☐ Carencias    ☐ Potencia

¿Es éste también un ejercicio clave de entrenamiento?    ☐ Sí    ☐ No

Relevancia de la regla 80/20 para alcanzar la meta:    ☐ Alta    ☐ Moderada    ☐ Baja

### Información sobre el ejercicio

Disciplina:    ☐ Natación    ☐ Bicicleta    ☐ Carrera    ☐ Otros

Distancia:    _____    _____    _____    _____

Tiempo total:    _____    _____    _____    _____

Intensidad:    _____    _____    _____    _____

### Otros detalles

Calentamiento: _____    Enfriamiento: _____    Flexibilidad de entrenamiento: _____

Entrenamiento de fuerza: _____    Pesas _____    Series _____    Repeticiones _____

### Resultados y observaciones

Ritmo/paso: _____    Interrupciones: _____

*Entrenamiento de frecuencia cardiaca:* Frecuencia cardiaca en reposo: _____

*Zona de entrenamiento:*    ☐ Recuperación/resistencia    ☐ Aeróbica/tempo    ☐ Umbral anaeróbico

% de tiempo empleado en la zona de entrenamiento: _____

*Indicadores de lesiones sobreesfuerzo:*    Dolor de articulaciones    ☐ Sí    ☐ No

    Mal humor    ☐ Sí    ☐ No

    Recuperación lenta    ☐ Sí    ☐ No

    Otros: _____

### Notas de entrenamiento y alimentación

*Tercera semana*

## Diario de entrenamiento del día

*Meta de hoy*                              *Días antes de la carrera:* _____

### Datos de hoy

Fecha: _____     Condiciones meteorológicas: _____

Hora: _____      Recorrido: _____

Temperatura: _____     Compañeros de entrenamiento: _____

### Ejercicios 80/20

☐ Intervalos     ☐ Bloque     ☐ Simulación de carrera     ☐ Carencias     ☐ Potencia

¿Es éste también un ejercicio clave de entrenamiento?     ☐ Sí     ☐ No

Relevancia de la regla 80/20 para alcanzar la meta:     ☐ Alta     ☐ Moderada     ☐ Baja

### Información sobre el ejercicio

Disciplina:     ☐ Natación          ☐ Bicicleta          ☐ Carrera          ☐ Otros

Distancia:     _____     _____     _____     _____

Tiempo total:     _____     _____     _____     _____

Intensidad:     _____     _____     _____     _____

### Otros detalles

Calentamiento: _____     Enfriamiento: _____     Flexibilidad de entrenamiento: _____

Entrenamiento de fuerza: _____     Pesas _____     Series _____     Repeticiones _____

### Resultados y observaciones

Ritmo/paso: _____     Interrupciones: _____

*Entrenamiento de frecuencia cardiaca:* Frecuencia cardiaca en reposo: _____

*Zona de entrenamiento:*     ☐ Recuperación/resistencia     ☐ Aeróbica/tempo     ☐ Umbral anaeróbico

% de tiempo empleado en la zona de entrenamiento: _____

*Indicadores de lesiones sobreesfuerzo:*     Dolor de articulaciones     ☐ Sí     ☐ No

                                        Mal humor     ☐ Sí     ☐ No

                                        Recuperación lenta     ☐ Sí     ☐ No

                                        Otros: _____

### Notas de entrenamiento y alimentación

## Diario de entrenamiento del día

*Meta de hoy*                          *Días antes de la carrera:* _____

### Datos de hoy

Fecha: _____    Condiciones meteorológicas: _____

Hora: _____    Recorrido: _____

Temperatura: _____    Compañeros de entrenamiento: _____

### Ejercicios 80/20

☐ Intervalos     ☐ Bloque     ☐ Simulación de carrera     ☐ Carencias     ☐ Potencia

¿Es éste también un ejercicio clave de entrenamiento?     ☐ Sí     ☐ No

Relevancia de la regla 80/20 para alcanzar la meta:     ☐ Alta     ☐ Moderada     ☐ Baja

### Información sobre el ejercicio

Disciplina:     ☐ Natación          ☐ Bicicleta          ☐ Carrera          ☐ Otros

Distancia: _____   _____   _____   _____

Tiempo total: _____   _____   _____   _____

Intensidad: _____   _____   _____   _____

### Otros detalles

Calentamiento: _____   Enfriamiento: _____   Flexibilidad de entrenamiento: _____

Entrenamiento de fuerza: _____   Pesas _____   Series _____   Repeticiones _____

### Resultados y observaciones

Ritmo/paso: _____   Interrupciones: _____

*Entrenamiento de frecuencia cardiaca:* Frecuencia cardiaca en reposo: _____

*Zona de entrenamiento:*   ☐ Recuperación/resistencia   ☐ Aeróbica/tempo   ☐ Umbral anaeróbico

% de tiempo empleado en la zona de entrenamiento: _____

*Indicadores de lesiones sobreesfuerzo:*     Dolor de articulaciones   ☐ Sí   ☐ No

Mal humor   ☐ Sí   ☐ No

Recuperación lenta   ☐ Sí   ☐ No

Otros: _____

### Notas de entrenamiento y alimentación

## Diario de entrenamiento del día

*Meta de hoy*                    *Días antes de la carrera:* _____

*Datos de hoy*

Fecha: _____     Condiciones meteorológicas: _____

Hora: _____     Recorrido: _____

Temperatura:_____     Compañeros de entrenamiento: _____

*Ejercicios 80/20*

☐ Intervalos     ☐ Bloque     ☐ Simulación de carrera     ☐ Carencias     ☐ Potencia

¿Es éste también un ejercicio clave de entrenamiento?     ☐ Sí     ☐ No

Relevancia de la regla 80/20 para alcanzar la meta:     ☐ Alta     ☐ Moderada     ☐ Baja

*Información sobre el ejercicio*

Disciplina:     ☐ Natación          ☐ Bicicleta          ☐ Carrera          ☐ Otros

Distancia:     _____     _____     _____     _____

Tiempo total: _____     _____     _____     _____

Intensidad:     _____     _____     _____     _____

*Otros detalles*

Calentamiento: _____     Enfriamiento: _____     Flexibilidad de entrenamiento: _____

Entrenamiento de fuerza: _____     Pesas _____     Series _____     Repeticiones _____

*Resultados y observaciones*

Ritmo/paso: _____     Interrupciones: _____

**Entrenamiento de frecuencia cardiaca:** Frecuencia cardiaca en reposo: _____

*Zona de entrenamiento:*     ☐ Recuperación/resistencia     ☐ Aeróbica/tempo     ☐ Umbral anaeróbico

% de tiempo empleado en la zona de entrenamiento: _____

*Indicadores de lesiones sobreesfuerzo:*     Dolor de articulaciones     ☐ Sí     ☐ No

                                             Mal humor     ☐ Sí     ☐ No

                                             Recuperación lenta     ☐ Sí     ☐ No

                                             Otros: _____

*Notas de entrenamiento y alimentación*

**Cuarta semana**

## Hoja de planificación semanal

La meta de esta semana _____

Fase de entrenamiento (marque una):    base    VTH    máximo rendimiento    reducción

|  | Ejercicio | Distancia o tiempo | Tipo o intensidad | Recorrido | Notas |
|---|---|---|---|---|---|
| Lunes | | | | | |
| Martes | | | | | |
| Miércoles | | | | | |
| Jueves | | | | | |
| Viernes | | | | | |
| Sábado | | | | | |
| Domingo | | | | | |

Distancia marcada como objetivo y totales de tiempo para esta semana:

Natación: _____    Ciclismo: _____    Carrera a pie: _____

## Diario de entrenamiento del día

*Meta de hoy*  *Días antes de la carrera:* _____

### Datos de hoy

Fecha: _____   Condiciones meteorológicas: _____

Hora: _____   Recorrido: _____

Temperatura: _____   Compañeros de entrenamiento: _____

### Ejercicios 80/20

☐ Intervalos   ☐ Bloque   ☐ Simulación de carrera   ☐ Carencias   ☐ Potencia

¿Es éste también un ejercicio clave de entrenamiento?   ☐ Sí   ☐ No

Relevancia de la regla 80/20 para alcanzar la meta:   ☐ Alta   ☐ Moderada   ☐ Baja

### Información sobre el ejercicio

Disciplina:   ☐ Natación   ☐ Bicicleta   ☐ Carrera   ☐ Otros

Distancia: _____  _____  _____  _____

Tiempo total: _____  _____  _____  _____

Intensidad: _____  _____  _____  _____

### Otros detalles

Calentamiento: _____   Enfriamiento: _____   Flexibilidad de entrenamiento: _____

Entrenamiento de fuerza: _____   Pesas _____   Series _____   Repeticiones _____

### Resultados y observaciones

Ritmo/paso: _____   Interrupciones: _____

*Entrenamiento de frecuencia cardiaca:* Frecuencia cardiaca en reposo: _____

*Zona de entrenamiento:*   ☐ Recuperación/resistencia   ☐ Aeróbica/tempo   ☐ Umbral anaeróbico

% de tiempo empleado en la zona de entrenamiento: _____

*Indicadores de lesiones sobreesfuerzo:*   Dolor de articulaciones   ☐ Sí   ☐ No

Mal humor   ☐ Sí   ☐ No

Recuperación lenta   ☐ Sí   ☐ No

Otros: _____

### Notas de entrenamiento y alimentación

## Diario de entrenamiento del día

*Meta de hoy*                                    *Días antes de la carrera:* _____

### Datos de hoy

Fecha: _____        Condiciones meteorológicas: _____

Hora: _____          Recorrido: _____

Temperatura: _____  Compañeros de entrenamiento: _____

### Ejercicios 80/20

☐ Intervalos      ☐ Bloque      ☐ Simulación de carrera      ☐ Carencias      ☐ Potencia

¿Es éste también un ejercicio clave de entrenamiento?      ☐ Sí      ☐ No

Relevancia de la regla 80/20 para alcanzar la meta:      ☐ Alta      ☐ Moderada      ☐ Baja

### Información sobre el ejercicio

Disciplina:      ☐ Natación           ☐ Bicicleta           ☐ Carrera           ☐ Otros

Distancia:      _____   _____   _____   _____

Tiempo total:  _____   _____   _____   _____

Intensidad:     _____   _____   _____   _____

### Otros detalles

Calentamiento: _____   Enfriamiento: _____   Flexibilidad de entrenamiento: _____

Entrenamiento de fuerza: _____   Pesas _____   Series _____   Repeticiones _____

### Resultados y observaciones

Ritmo/paso: _____        Interrupciones: _____

*Entrenamiento de frecuencia cardiaca:* Frecuencia cardiaca en reposo: _____

*Zona de entrenamiento:*   ☐ Recuperación/resistencia   ☐ Aeróbica/tempo   ☐ Umbral anaeróbico

% de tiempo empleado en la zona de entrenamiento: _____

*Indicadores de lesiones sobreesfuerzo:*      Dolor de articulaciones      ☐ Sí      ☐ No

Mal humor      ☐ Sí      ☐ No

Recuperación lenta      ☐ Sí      ☐ No

Otros: _____

### Notas de entrenamiento y alimentación

## Diario de entrenamiento del día

*Meta de hoy*                                  *Días antes de la carrera:* _____

### Datos de hoy

Fecha: _____          Condiciones meteorológicas: _____

Hora: _____            Recorrido: _____

Temperatura: _____        Compañeros de entrenamiento: _____

### Ejercicios 80/20

☐ Intervalos      ☐ Bloque      ☐ Simulación de carrera      ☐ Carencias      ☐ Potencia

¿Es éste también un ejercicio clave de entrenamiento?      ☐ Sí      ☐ No

Relevancia de la regla 80/20 para alcanzar la meta:      ☐ Alta      ☐ Moderada      ☐ Baja

### Información sobre el ejercicio

Disciplina:      ☐ Natación          ☐ Bicicleta          ☐ Carrera          ☐ Otros

Distancia:      _____   _____   _____   _____

Tiempo total:  _____   _____   _____   _____

Intensidad:     _____   _____   _____   _____

### Otros detalles

Calentamiento: _____   Enfriamiento: _____   Flexibilidad de entrenamiento: _____

Entrenamiento de fuerza: _____   Pesas _____   Series _____   Repeticiones _____

### Resultados y observaciones

Ritmo/paso: _____          Interrupciones: _____

*Entrenamiento de frecuencia cardiaca:* Frecuencia cardiaca en reposo: _____

*Zona de entrenamiento:*      ☐ Recuperación/resistencia      ☐ Aeróbica/tempo      ☐ Umbral anaeróbico

% de tiempo empleado en la zona de entrenamiento: _____

*Indicadores de lesiones sobreesfuerzo:*      Dolor de articulaciones      ☐ Sí      ☐ No

                                             Mal humor                     ☐ Sí      ☐ No

                                             Recuperación lenta            ☐ Sí      ☐ No

                                             Otros: _____

### Notas de entrenamiento y alimentación

## Diario de entrenamiento del día

**Meta de hoy**                    **Días antes de la carrera:** _____

### Datos de hoy

Fecha: _____    Condiciones meteorológicas: _____

Hora: _____    Recorrido: _____

Temperatura: _____    Compañeros de entrenamiento: _____

### Ejercicios 80/20

☐ Intervalos    ☐ Bloque    ☐ Simulación de carrera    ☐ Carencias    ☐ Potencia

¿Es éste también un ejercicio clave de entrenamiento?    ☐ Sí    ☐ No

Relevancia de la regla 80/20 para alcanzar la meta:    ☐ Alta    ☐ Moderada    ☐ Baja

### Información sobre el ejercicio

Disciplina:    ☐ Natación    ☐ Bicicleta    ☐ Carrera    ☐ Otros

Distancia: _____    _____    _____    _____

Tiempo total: _____    _____    _____    _____

Intensidad: _____    _____    _____    _____

### Otros detalles

Calentamiento: _____    Enfriamiento: _____    Flexibilidad de entrenamiento: _____

Entrenamiento de fuerza: _____    Pesas _____    Series _____    Repeticiones _____

### Resultados y observaciones

Ritmo/paso: _____    Interrupciones: _____

*Entrenamiento de frecuencia cardiaca:* Frecuencia cardiaca en reposo: _____

*Zona de entrenamiento:*    ☐ Recuperación/resistencia    ☐ Aeróbica/tempo    ☐ Umbral anaeróbico

% de tiempo empleado en la zona de entrenamiento: _____

*Indicadores de lesiones sobreesfuerzo:*    Dolor de articulaciones    ☐ Sí    ☐ No

Mal humor    ☐ Sí    ☐ No

Recuperación lenta    ☐ Sí    ☐ No

Otros: _____

### Notas de entrenamiento y alimentación

*Cuarta semana*

## Diario de entrenamiento del día

*Meta de hoy*                                    *Días antes de la carrera:* _____

### Datos de hoy

Fecha: _____     Condiciones meteorológicas: _____

Hora: _____     Recorrido: _____

Temperatura: _____     Compañeros de entrenamiento: _____

### Ejercicios 80/20

☐ Intervalos     ☐ Bloque     ☐ Simulación de carrera     ☐ Carencias     ☐ Potencia

¿Es éste también un ejercicio clave de entrenamiento?     ☐ Sí     ☐ No

Relevancia de la regla 80/20 para alcanzar la meta:     ☐ Alta     ☐ Moderada     ☐ Baja

### Información sobre el ejercicio

Disciplina:     ☐ Natación          ☐ Bicicleta          ☐ Carrera          ☐ Otros

Distancia:     _____     _____     _____     _____

Tiempo total:     _____     _____     _____     _____

Intensidad:     _____     _____     _____     _____

### Otros detalles

Calentamiento: _____     Enfriamiento: _____     Flexibilidad de entrenamiento: _____

Entrenamiento de fuerza: _____     Pesas _____     Series _____     Repeticiones _____

### Resultados y observaciones

Ritmo/paso: _____     Interrupciones: _____

*Entrenamiento de frecuencia cardiaca:* Frecuencia cardiaca en reposo: _____

*Zona de entrenamiento:*     ☐ Recuperación/resistencia     ☐ Aeróbica/tempo     ☐ Umbral anaeróbico

% de tiempo empleado en la zona de entrenamiento: _____

*Indicadores de lesiones sobreesfuerzo:*     Dolor de articulaciones     ☐ Sí     ☐ No

Mal humor     ☐ Sí     ☐ No

Recuperación lenta     ☐ Sí     ☐ No

Otros: _____

### Notas de entrenamiento y alimentación

*Cuarta semana*

## Diario de entrenamiento del día

*Meta de hoy*                                    *Días antes de la carrera:* _____

*Datos de hoy*

Fecha: _____          Condiciones meteorológicas: _____

Hora: _____           Recorrido: _____

Temperatura: _____          Compañeros de entrenamiento: _____

*Ejercicios 80/20*

☐ Intervalos     ☐ Bloque     ☐ Simulación de carrera     ☐ Carencias     ☐ Potencia

¿Es éste también un ejercicio clave de entrenamiento?     ☐ Sí     ☐ No

Relevancia de la regla 80/20 para alcanzar la meta:     ☐ Alta     ☐ Moderada     ☐ Baja

*Información sobre el ejercicio*

Disciplina:     ☐ Natación          ☐ Bicicleta          ☐ Carrera          ☐ Otros

Distancia:     _____     _____     _____     _____

Tiempo total:   _____     _____     _____     _____

Intensidad:     _____     _____     _____     _____

*Otros detalles*

Calentamiento: _____     Enfriamiento: _____     Flexibilidad de entrenamiento: _____

Entrenamiento de fuerza: _____     Pesas _____     Series _____     Repeticiones _____

*Resultados y observaciones*

Ritmo/paso: _____          Interrupciones: _____

*Entrenamiento de frecuencia cardiaca:* Frecuencia cardiaca en reposo: _____

*Zona de entrenamiento:*     ☐ Recuperación/resistencia     ☐ Aeróbica/tempo     ☐ Umbral anaeróbico

% de tiempo empleado en la zona de entrenamiento: _____

*Indicadores de lesiones sobreesfuerzo:*     Dolor de articulaciones     ☐ Sí     ☐ No

                                             Mal humor                   ☐ Sí     ☐ No

                                             Recuperación lenta          ☐ Sí     ☐ No

                                             Otros: _____

*Notas de entrenamiento y alimentación*

## Diario de entrenamiento del día

**Meta de hoy**                        **Días antes de la carrera:** _____

### Datos de hoy

Fecha: _____     Condiciones meteorológicas: _____

Hora: _____       Recorrido: _____

Temperatura: _____   Compañeros de entrenamiento: _____

### Ejercicios 80/20

☐ Intervalos     ☐ Bloque     ☐ Simulación de carrera     ☐ Carencias     ☐ Potencia

¿Es éste también un ejercicio clave de entrenamiento?     ☐ Sí     ☐ No

Relevancia de la regla 80/20 para alcanzar la meta:     ☐ Alta     ☐ Moderada     ☐ Baja

### Información sobre el ejercicio

Disciplina:     ☐ Natación          ☐ Bicicleta          ☐ Carrera          ☐ Otros

Distancia:     _____   _____   _____   _____

Tiempo total: _____   _____   _____   _____

Intensidad:    _____   _____   _____   _____

### Otros detalles

Calentamiento: _____   Enfriamiento: _____   Flexibilidad de entrenamiento: _____

Entrenamiento de fuerza: _____   Pesas _____   Series _____   Repeticiones _____

### Resultados y observaciones

Ritmo/paso: _____     Interrupciones: _____

**Entrenamiento de frecuencia cardiaca:** Frecuencia cardiaca en reposo: _____

*Zona de entrenamiento:*     ☐ Recuperación/resistencia     ☐ Aeróbica/tempo     ☐ Umbral anaeróbico

% de tiempo empleado en la zona de entrenamiento: _____

**Indicadores de lesiones sobreesfuerzo:**     Dolor de articulaciones     ☐ Sí     ☐ No

Mal humor     ☐ Sí     ☐ No

Recuperación lenta     ☐ Sí     ☐ No

Otros: _____

### Notas de entrenamiento y alimentación

## Quinta semana

## Hoja de planificación semanal

La meta de esta semana _____

Fase de entrenamiento (marque una):    base    VTH    máximo rendimiento    reducción

| | Ejercicio | Distancia o tiempo | Tipo o intensidad | Recorrido | Notas |
|---|---|---|---|---|---|
| Lunes | | | | | |
| Martes | | | | | |
| Miércoles | | | | | |
| Jueves | | | | | |
| Viernes | | | | | |
| Sábado | | | | | |
| Domingo | | | | | |

Distancia marcada como objetivo y totales de tiempo para esta semana:

Natación: _____    Ciclismo: _____    Carrera a pie: _____

## Diario de entrenamiento del día

*Meta de hoy*                                    *Días antes de la carrera:* _____

### Datos de hoy

Fecha: _____          Condiciones meteorológicas: _____

Hora: _____            Recorrido: _____

Temperatura: _____       Compañeros de entrenamiento: _____

### Ejercicios 80/20

☐ Intervalos      ☐ Bloque      ☐ Simulación de carrera      ☐ Carencias      ☐ Potencia

¿Es éste también un ejercicio clave de entrenamiento?      ☐ Sí      ☐ No

Relevancia de la regla 80/20 para alcanzar la meta:      ☐ Alta      ☐ Moderada      ☐ Baja

### Información sobre el ejercicio

Disciplina:      ☐ Natación          ☐ Bicicleta          ☐ Carrera          ☐ Otros

Distancia:      _____    _____    _____    _____

Tiempo total:  _____    _____    _____    _____

Intensidad:    _____    _____    _____    _____

### Otros detalles

Calentamiento: _____   Enfriamiento: _____   Flexibilidad de entrenamiento: _____

Entrenamiento de fuerza: _____   Pesas _____   Series _____   Repeticiones _____

### Resultados y observaciones

Ritmo/paso: _____          Interrupciones: _____

*Entrenamiento de frecuencia cardiaca:* Frecuencia cardiaca en reposo: _____

*Zona de entrenamiento:*      ☐ Recuperación/resistencia      ☐ Aeróbica/tempo      ☐ Umbral anaeróbico

% de tiempo empleado en la zona de entrenamiento: _____

*Indicadores de lesiones sobreesfuerzo:*      Dolor de articulaciones      ☐ Sí      ☐ No

Mal humor      ☐ Sí      ☐ No

Recuperación lenta      ☐ Sí      ☐ No

Otros: _____

### Notas de entrenamiento y alimentación

## Diario de entrenamiento del día

*Meta de hoy*                          *Días antes de la carrera:* _____

### Datos de hoy

Fecha: _____        Condiciones meteorológicas: _____

Hora: _____         Recorrido: _____

Temperatura: _____           Compañeros de entrenamiento: _____

### Ejercicios 80/20

☐ Intervalos    ☐ Bloque    ☐ Simulación de carrera    ☐ Carencias    ☐ Potencia

¿Es éste también un ejercicio clave de entrenamiento?    ☐ Sí    ☐ No

Relevancia de la regla 80/20 para alcanzar la meta:    ☐ Alta    ☐ Moderada    ☐ Baja

### Información sobre el ejercicio

Disciplina:    ☐ Natación        ☐ Bicicleta        ☐ Carrera        ☐ Otros

Distancia: _____  _____  _____  _____

Tiempo total: _____  _____  _____  _____

Intensidad: _____  _____  _____  _____

### Otros detalles

Calentamiento: _____   Enfriamiento: _____   Flexibilidad de entrenamiento: _____

Entrenamiento de fuerza: _____   Pesas _____   Series _____   Repeticiones _____

### Resultados y observaciones

Ritmo/paso: _____       Interrupciones: _____

*Entrenamiento de frecuencia cardiaca:* Frecuencia cardiaca en reposo: _____

*Zona de entrenamiento:*    ☐ Recuperación/resistencia    ☐ Aeróbica/tempo    ☐ Umbral anaeróbico

% de tiempo empleado en la zona de entrenamiento: _____

*Indicadores de lesiones sobreesfuerzo:*    Dolor de articulaciones    ☐ Sí    ☐ No

Mal humor    ☐ Sí    ☐ No

Recuperación lenta    ☐ Sí    ☐ No

Otros: _____

### Notas de entrenamiento y alimentación

*Quinta semana*

## Diario de entrenamiento del día

*Meta de hoy*                                    *Días antes de la carrera:* _____

### Datos de hoy

Fecha: _____          Condiciones meteorológicas: _____

Hora: _____           Recorrido: _____

Temperatura: _____      Compañeros de entrenamiento: _____

### Ejercicios 80/20

☐ Intervalos     ☐ Bloque     ☐ Simulación de carrera     ☐ Carencias     ☐ Potencia

¿Es éste también un ejercicio clave de entrenamiento?     ☐ Sí     ☐ No

Relevancia de la regla 80/20 para alcanzar la meta:     ☐ Alta     ☐ Moderada     ☐ Baja

### Información sobre el ejercicio

Disciplina:     ☐ Natación          ☐ Bicicleta          ☐ Carrera          ☐ Otros

Distancia:     _____     _____     _____     _____

Tiempo total:  _____     _____     _____     _____

Intensidad:    _____     _____     _____     _____

### Otros detalles

Calentamiento: _____     Enfriamiento: _____     Flexibilidad de entrenamiento: _____

Entrenamiento de fuerza: _____     Pesas _____     Series _____     Repeticiones _____

### Resultados y observaciones

Ritmo/paso: _____          Interrupciones: _____

*Entrenamiento de frecuencia cardiaca:* Frecuencia cardiaca en reposo: _____

*Zona de entrenamiento:*     ☐ Recuperación/resistencia     ☐ Aeróbica/tempo     ☐ Umbral anaeróbico

% de tiempo empleado en la zona de entrenamiento: _____

*Indicadores de lesiones sobreesfuerzo:*     Dolor de articulaciones     ☐ Sí     ☐ No

                                                           Mal humor     ☐ Sí     ☐ No

                                                           Recuperación lenta     ☐ Sí     ☐ No

                                                           Otros: _____

### Notas de entrenamiento y alimentación

## Diario de entrenamiento del día

*Meta de hoy*                          *Días antes de la carrera:* _____

### Datos de hoy

Fecha: _____    Condiciones meteorológicas: _____

Hora: _____    Recorrido: _____

Temperatura:_____    Compañeros de entrenamiento: _____

### Ejercicios 80/20

☐ Intervalos    ☐ Bloque    ☐ Simulación de carrera    ☐ Carencias    ☐ Potencia

¿Es éste también un ejercicio clave de entrenamiento?    ☐ Sí    ☐ No

Relevancia de la regla 80/20 para alcanzar la meta:    ☐ Alta    ☐ Moderada    ☐ Baja

### Información sobre el ejercicio

Disciplina:    ☐ Natación         ☐ Bicicleta         ☐ Carrera         ☐ Otros

Distancia:    _____    _____    _____    _____

Tiempo total: _____    _____    _____    _____

Intensidad:    _____    _____    _____    _____

### Otros detalles

Calentamiento: _____    Enfriamiento: _____    Flexibilidad de entrenamiento: _____

Entrenamiento de fuerza: _____    Pesas _____    Series _____    Repeticiones _____

### Resultados y observaciones

Ritmo/paso: _____    Interrupciones: _____

*Entrenamiento de frecuencia cardiaca:* Frecuencia cardiaca en reposo: _____

*Zona de entrenamiento:*    ☐ Recuperación/resistencia    ☐ Aeróbica/tempo    ☐ Umbral anaeróbico

% de tiempo empleado en la zona de entrenamiento: _____

*Indicadores de lesiones sobreesfuerzo:*    Dolor de articulaciones    ☐ Sí    ☐ No

Mal humor    ☐ Sí    ☐ No

Recuperación lenta    ☐ Sí    ☐ No

Otros: _____

### Notas de entrenamiento y alimentación

*Quinta semana*

## Diario de entrenamiento del día

*Meta de hoy*                                    *Días antes de la carrera:* _____

### Datos de hoy

Fecha: _____          Condiciones meteorológicas: _____

Hora: _____          Recorrido: _____

Temperatura:_____          Compañeros de entrenamiento: _____

### Ejercicios 80/20

☐ Intervalos      ☐ Bloque      ☐ Simulación de carrera      ☐ Carencias      ☐ Potencia

¿Es éste también un ejercicio clave de entrenamiento?      ☐ Sí      ☐ No

Relevancia de la regla 80/20 para alcanzar la meta:      ☐ Alta      ☐ Moderada      ☐ Baja

### Información sobre el ejercicio

Disciplina:    ☐ Natación          ☐ Bicicleta          ☐ Carrera          ☐ Otros

Distancia:    _____    _____    _____    _____

Tiempo total:    _____    _____    _____    _____

Intensidad:    _____    _____    _____    _____

### Otros detalles

Calentamiento: _____    Enfriamiento: _____    Flexibilidad de entrenamiento: _____

Entrenamiento de fuerza: _____    Pesas _____    Series _____    Repeticiones _____

### Resultados y observaciones

Ritmo/paso: _____          Interrupciones: _____

**Entrenamiento de frecuencia cardiaca:** Frecuencia cardiaca en reposo: _____

*Zona de entrenamiento:*    ☐ Recuperación/resistencia    ☐ Aeróbica/tempo    ☐ Umbral anaeróbico

% de tiempo empleado en la zona de entrenamiento: _____

**Indicadores de lesiones sobreesfuerzo:**    Dolor de articulaciones    ☐ Sí    ☐ No

Mal humor    ☐ Sí    ☐ No

Recuperación lenta    ☐ Sí    ☐ No

Otros: _____

### Notas de entrenamiento y alimentación

## Diario de entrenamiento del día

*Meta de hoy*                          *Días antes de la carrera:* _____

### Datos de hoy

Fecha: _____    Condiciones meteorológicas: _____

Hora: _____    Recorrido: _____

Temperatura: _____    Compañeros de entrenamiento: _____

### Ejercicios 80/20

☐ Intervalos     ☐ Bloque     ☐ Simulación de carrera     ☐ Carencias     ☐ Potencia

¿Es éste también un ejercicio clave de entrenamiento?     ☐ Sí     ☐ No

Relevancia de la regla 80/20 para alcanzar la meta:     ☐ Alta     ☐ Moderada     ☐ Baja

### Información sobre el ejercicio

Disciplina:    ☐ Natación          ☐ Bicicleta          ☐ Carrera          ☐ Otros

Distancia:    _____    _____    _____    _____

Tiempo total:    _____    _____    _____    _____

Intensidad:    _____    _____    _____    _____

### Otros detalles

Calentamiento: _____    Enfriamiento: _____    Flexibilidad de entrenamiento: _____

Entrenamiento de fuerza: _____    Pesas _____    Series _____    Repeticiones _____

### Resultados y observaciones

Ritmo/paso: _____    Interrupciones: _____

*Entrenamiento de frecuencia cardiaca:* Frecuencia cardiaca en reposo: _____

*Zona de entrenamiento:*    ☐ Recuperación/resistencia    ☐ Aeróbica/tempo    ☐ Umbral anaeróbico

% de tiempo empleado en la zona de entrenamiento: _____

*Indicadores de lesiones sobreesfuerzo:*    Dolor de articulaciones    ☐ Sí    ☐ No

                                            Mal humor    ☐ Sí    ☐ No

                                            Recuperación lenta    ☐ Sí    ☐ No

                                            Otros: _____

### Notas de entrenamiento y alimentación

## Diario de entrenamiento del día

*Meta de hoy*                          *Días antes de la carrera:* _____

### Datos de hoy

Fecha: _____          Condiciones meteorológicas: _____

Hora: _____          Recorrido: _____

Temperatura: _____          Compañeros de entrenamiento: _____

### Ejercicios 80/20

☐ Intervalos     ☐ Bloque     ☐ Simulación de carrera     ☐ Carencias     ☐ Potencia

¿Es éste también un ejercicio clave de entrenamiento?     ☐ Sí     ☐ No

Relevancia de la regla 80/20 para alcanzar la meta:     ☐ Alta     ☐ Moderada     ☐ Baja

### Información sobre el ejercicio

Disciplina:     ☐ Natación          ☐ Bicicleta          ☐ Carrera          ☐ Otros

Distancia:     _____     _____     _____     _____

Tiempo total:  _____     _____     _____     _____

Intensidad:    _____     _____     _____     _____

### Otros detalles

Calentamiento: _____     Enfriamiento: _____     Flexibilidad de entrenamiento: _____

Entrenamiento de fuerza: _____     Pesas _____     Series _____     Repeticiones _____

### Resultados y observaciones

Ritmo/paso: _____          Interrupciones: _____

*Entrenamiento de frecuencia cardiaca:* Frecuencia cardiaca en reposo: _____

*Zona de entrenamiento:*     ☐ Recuperación/resistencia     ☐ Aeróbica/tempo     ☐ Umbral anaeróbico

% de tiempo empleado en la zona de entrenamiento: _____

*Indicadores de lesiones sobreesfuerzo:*     Dolor de articulaciones     ☐ Sí     ☐ No

                                             Mal humor     ☐ Sí     ☐ No

                                             Recuperación lenta     ☐ Sí     ☐ No

                                             Otros: _____

### Notas de entrenamiento y alimentación

**Sexta semana**

## Hoja de planificación semanal

La meta de esta semana _____

Fase de entrenamiento (marque una):     base     VTH     máximo rendimiento     reducción

|  | Ejercicio | Distancia o tiempo | Tipo o intensidad | Recorrido | Notas |
|---|---|---|---|---|---|
| Lunes |  |  |  |  |  |
| Martes |  |  |  |  |  |
| Miércoles |  |  |  |  |  |
| Jueves |  |  |  |  |  |
| Viernes |  |  |  |  |  |
| Sábado |  |  |  |  |  |
| Domingo |  |  |  |  |  |

Distancia marcada como objetivo y totales de tiempo para esta semana:

Natación: _____     Ciclismo: _____     Carrera a pie: _____

## Diario de entrenamiento del día

**Meta de hoy**                         **Días antes de la carrera:** _____

### Datos de hoy

Fecha: _____        Condiciones meteorológicas: _____

Hora: _____            Recorrido: _____

Temperatura: _____     Compañeros de entrenamiento: _____

### Ejercicios 80/20

☐ Intervalos      ☐ Bloque      ☐ Simulación de carrera      ☐ Carencias      ☐ Potencia

¿Es éste también un ejercicio clave de entrenamiento?      ☐ Sí      ☐ No

Relevancia de la regla 80/20 para alcanzar la meta:      ☐ Alta      ☐ Moderada      ☐ Baja

### Información sobre el ejercicio

Disciplina:      ☐ Natación          ☐ Bicicleta          ☐ Carrera          ☐ Otros

Distancia:      _____    _____    _____    _____

Tiempo total:   _____    _____    _____    _____

Intensidad:     _____    _____    _____    _____

### Otros detalles

Calentamiento: _____    Enfriamiento: _____    Flexibilidad de entrenamiento: _____

Entrenamiento de fuerza: _____    Pesas _____    Series _____    Repeticiones _____

### Resultados y observaciones

Ritmo/paso: _____        Interrupciones: _____

**Entrenamiento de frecuencia cardiaca:** Frecuencia cardiaca en reposo: _____

*Zona de entrenamiento:*    ☐ Recuperación/resistencia      ☐ Aeróbica/tempo      ☐ Umbral anaeróbico

% de tiempo empleado en la zona de entrenamiento: _____

**Indicadores de lesiones sobreesfuerzo:**      Dolor de articulaciones      ☐ Sí      ☐ No

                                                 Mal humor      ☐ Sí      ☐ No

                                                 Recuperación lenta      ☐ Sí      ☐ No

                                                 Otros: _____

### Notas de entrenamiento y alimentación

*Sexta semana*

## Diario de entrenamiento del día

*Meta de hoy*                    *Días antes de la carrera:* _____

### Datos de hoy

Fecha: _____    Condiciones meteorológicas: _____

Hora: _____    Recorrido: _____

Temperatura: _____    Compañeros de entrenamiento: _____

### Ejercicios 80/20

☐ Intervalos    ☐ Bloque    ☐ Simulación de carrera    ☐ Carencias    ☐ Potencia

¿Es éste también un ejercicio clave de entrenamiento?    ☐ Sí    ☐ No

Relevancia de la regla 80/20 para alcanzar la meta:    ☐ Alta    ☐ Moderada    ☐ Baja

### Información sobre el ejercicio

Disciplina:    ☐ Natación    ☐ Bicicleta    ☐ Carrera    ☐ Otros

Distancia: _____   _____   _____   _____

Tiempo total: _____   _____   _____   _____

Intensidad: _____   _____   _____   _____

### Otros detalles

Calentamiento: _____    Enfriamiento: _____    Flexibilidad de entrenamiento: _____

Entrenamiento de fuerza: _____    Pesas _____    Series _____    Repeticiones _____

### Resultados y observaciones

Ritmo/paso: _____    Interrupciones: _____

*Entrenamiento de frecuencia cardiaca:* Frecuencia cardiaca en reposo: _____

*Zona de entrenamiento:*    ☐ Recuperación/resistencia    ☐ Aeróbica/tempo    ☐ Umbral anaeróbico

% de tiempo empleado en la zona de entrenamiento: _____

*Indicadores de lesiones sobreesfuerzo:*    Dolor de articulaciones    ☐ Sí    ☐ No

Mal humor    ☐ Sí    ☐ No

Recuperación lenta    ☐ Sí    ☐ No

Otros: _____

### Notas de entrenamiento y alimentación

## Diario de entrenamiento del día

*Meta de hoy*                    *Días antes de la carrera:* _____

### Datos de hoy

Fecha: _____    Condiciones meteorológicas: _____

Hora: _____    Recorrido: _____

Temperatura: _____    Compañeros de entrenamiento: _____

### Ejercicios 80/20

☐ Intervalos      ☐ Bloque      ☐ Simulación de carrera      ☐ Carencias      ☐ Potencia

¿Es éste también un ejercicio clave de entrenamiento?      ☐ Sí      ☐ No

Relevancia de la regla 80/20 para alcanzar la meta:      ☐ Alta      ☐ Moderada      ☐ Baja

### Información sobre el ejercicio

Disciplina:    ☐ Natación        ☐ Bicicleta        ☐ Carrera        ☐ Otros

Distancia:    _____    _____    _____    _____

Tiempo total:  _____    _____    _____    _____

Intensidad:    _____    _____    _____    _____

### Otros detalles

Calentamiento: _____    Enfriamiento: _____    Flexibilidad de entrenamiento: _____

Entrenamiento de fuerza: _____    Pesas _____    Series _____    Repeticiones _____

### Resultados y observaciones

Ritmo/paso: _____    Interrupciones: _____

*Entrenamiento de frecuencia cardiaca:* Frecuencia cardiaca en reposo: _____

*Zona de entrenamiento:*    ☐ Recuperación/resistencia    ☐ Aeróbica/tempo    ☐ Umbral anaeróbico

% de tiempo empleado en la zona de entrenamiento: _____

*Indicadores de lesiones sobreesfuerzo:*    Dolor de articulaciones    ☐ Sí    ☐ No

Mal humor    ☐ Sí    ☐ No

Recuperación lenta    ☐ Sí    ☐ No

Otros: _____

### Notas de entrenamiento y alimentación

*Sexta semana*

## Diario de entrenamiento del día

*Meta de hoy*                                   *Días antes de la carrera:* _____

### Datos de hoy

Fecha: _____          Condiciones meteorológicas: _____

Hora: _____          Recorrido: _____

Temperatura: _____          Compañeros de entrenamiento: _____

### Ejercicios 80/20

☐ Intervalos     ☐ Bloque     ☐ Simulación de carrera     ☐ Carencias     ☐ Potencia

¿Es éste también un ejercicio clave de entrenamiento?     ☐ Sí     ☐ No

Relevancia de la regla 80/20 para alcanzar la meta:     ☐ Alta     ☐ Moderada     ☐ Baja

### Información sobre el ejercicio

Disciplina:     ☐ Natación          ☐ Bicicleta          ☐ Carrera          ☐ Otros

Distancia:     _____     _____     _____     _____

Tiempo total:     _____     _____     _____     _____

Intensidad:     _____     _____     _____     _____

### Otros detalles

Calentamiento: _____     Enfriamiento: _____     Flexibilidad de entrenamiento: _____

Entrenamiento de fuerza: _____     Pesas _____     Series _____     Repeticiones _____

### Resultados y observaciones

Ritmo/paso: _____     Interrupciones: _____

*Entrenamiento de frecuencia cardiaca:* Frecuencia cardiaca en reposo: _____

*Zona de entrenamiento:*     ☐ Recuperación/resistencia     ☐ Aeróbica/tempo     ☐ Umbral anaeróbico

% de tiempo empleado en la zona de entrenamiento: _____

*Indicadores de lesiones sobreesfuerzo:*     Dolor de articulaciones     ☐ Sí     ☐ No

                                             Mal humor     ☐ Sí     ☐ No

                                             Recuperación lenta     ☐ Sí     ☐ No

                                             Otros: _____

### Notas de entrenamiento y alimentación

## Diario de entrenamiento del día

### Meta de hoy

**Días antes de la carrera:** _____

### Datos de hoy

Fecha: _____    Condiciones meteorológicas: _____

Hora: _____    Recorrido: _____

Temperatura: _____    Compañeros de entrenamiento: _____

### Ejercicios 80/20

☐ Intervalos    ☐ Bloque    ☐ Simulación de carrera    ☐ Carencias    ☐ Potencia

¿Es éste también un ejercicio clave de entrenamiento?    ☐ Sí    ☐ No

Relevancia de la regla 80/20 para alcanzar la meta:    ☐ Alta    ☐ Moderada    ☐ Baja

### Información sobre el ejercicio

Disciplina:    ☐ Natación    ☐ Bicicleta    ☐ Carrera    ☐ Otros

Distancia: _____    _____    _____    _____

Tiempo total: _____    _____    _____    _____

Intensidad: _____    _____    _____    _____

### Otros detalles

Calentamiento: _____    Enfriamiento: _____    Flexibilidad de entrenamiento: _____

Entrenamiento de fuerza: _____    Pesas _____    Series _____    Repeticiones _____

### Resultados y observaciones

Ritmo/paso: _____    Interrupciones: _____

**Entrenamiento de frecuencia cardiaca:** Frecuencia cardiaca en reposo: _____

*Zona de entrenamiento:*    ☐ Recuperación/resistencia    ☐ Aeróbica/tempo    ☐ Umbral anaeróbico

% de tiempo empleado en la zona de entrenamiento: _____

**Indicadores de lesiones sobreesfuerzo:**    Dolor de articulaciones    ☐ Sí    ☐ No

Mal humor    ☐ Sí    ☐ No

Recuperación lenta    ☐ Sí    ☐ No

Otros: _____

### Notas de entrenamiento y alimentación

## Diario de entrenamiento del día

*Meta de hoy*                                  *Días antes de la carrera:* _____

### Datos de hoy

Fecha: _____       Condiciones meteorológicas: _____

Hora: _____       Recorrido: _____

Temperatura:_____       Compañeros de entrenamiento: _____

### Ejercicios 80/20

☐ Intervalos      ☐ Bloque      ☐ Simulación de carrera      ☐ Carencias      ☐ Potencia

¿Es éste también un ejercicio clave de entrenamiento?     ☐ Sí    ☐ No

Relevancia de la regla 80/20 para alcanzar la meta:     ☐ Alta      ☐ Moderada      ☐ Baja

### Información sobre el ejercicio

Disciplina:     ☐ Natación      ☐ Bicicleta      ☐ Carrera      ☐ Otros

Distancia:    _____ _____ _____ _____

Tiempo total:    _____ _____ _____ _____

Intensidad:    _____ _____ _____ _____

### Otros detalles

Calentamiento: _____    Enfriamiento: _____    Flexibilidad de entrenamiento: _____

Entrenamiento de fuerza: _____    Pesas _____    Series _____    Repeticiones _____

### Resultados y observaciones

Ritmo/paso: _____      Interrupciones: _____

**Entrenamiento de frecuencia cardiaca:** Frecuencia cardiaca en reposo: _____

*Zona de entrenamiento:*    ☐ Recuperación/resistencia    ☐ Aeróbica/tempo    ☐ Umbral anaeróbico

% de tiempo empleado en la zona de entrenamiento: _____

*Indicadores de lesiones sobreesfuerzo:*    Dolor de articulaciones    ☐ Sí    ☐ No

                                                    Mal humor    ☐ Sí    ☐ No

                                                    Recuperación lenta    ☐ Sí    ☐ No

                                                    Otros: _____

### Notas de entrenamiento y alimentación

*Sexta semana*

## Diario de entrenamiento del día

*Meta de hoy*                                    *Días antes de la carrera:* _____

### Datos de hoy

Fecha: _____        Condiciones meteorológicas: _____

Hora: _____        Recorrido: _____

Temperatura:_____        Compañeros de entrenamiento: _____

### Ejercicios 80/20

☐ Intervalos     ☐ Bloque     ☐ Simulación de carrera     ☐ Carencias     ☐ Potencia

¿Es éste también un ejercicio clave de entrenamiento?     ☐ Sí     ☐ No

Relevancia de la regla 80/20 para alcanzar la meta:     ☐ Alta     ☐ Moderada     ☐ Baja

### Información sobre el ejercicio

Disciplina:     ☐ Natación          ☐ Bicicleta          ☐ Carrera          ☐ Otros

Distancia:      _____   _____   _____   _____

Tiempo total:   _____   _____   _____   _____

Intensidad:     _____   _____   _____   _____

### Otros detalles

Calentamiento: _____   Enfriamiento: _____   Flexibilidad de entrenamiento: _____

Entrenamiento de fuerza: _____   Pesas _____   Series _____   Repeticiones _____

### Resultados y observaciones

Ritmo/paso: _____        Interrupciones: _____

*Entrenamiento de frecuencia cardiaca:* Frecuencia cardiaca en reposo: _____

*Zona de entrenamiento:*     ☐ Recuperación/resistencia     ☐ Aeróbica/tempo     ☐ Umbral anaeróbico

% de tiempo empleado en la zona de entrenamiento: _____

*Indicadores de lesiones sobreesfuerzo:*     Dolor de articulaciones     ☐ Sí     ☐ No

Mal humor     ☐ Sí     ☐ No

Recuperación lenta     ☐ Sí     ☐ No

Otros: _____

### Notas de entrenamiento y alimentación

*Séptima semana*

## Hoja de planificación semanal

La meta de esta semana _____

Fase de entrenamiento (marque una):    base    VTH    máximo rendimiento    reducción

|  | Ejercicio | Distancia o tiempo | Tipo o intensidad | Recorrido | Notas |
|---|---|---|---|---|---|
| Lunes |  |  |  |  |  |
| Martes |  |  |  |  |  |
| Miércoles |  |  |  |  |  |
| Jueves |  |  |  |  |  |
| Viernes |  |  |  |  |  |
| Sábado |  |  |  |  |  |
| Domingo |  |  |  |  |  |

Distancia marcada como objetivo y totales de tiempo para esta semana:

Natación: _____    Ciclismo: _____    Carrera a pie: _____

## Diario de entrenamiento del día

*Meta de hoy*                                    *Días antes de la carrera:* _____

*Datos de hoy*

Fecha: _____    Condiciones meteorológicas: _____

Hora: _____    Recorrido: _____

Temperatura: _____    Compañeros de entrenamiento: _____

*Ejercicios 80/20*

☐ Intervalos    ☐ Bloque    ☐ Simulación de carrera    ☐ Carencias    ☐ Potencia

¿Es éste también un ejercicio clave de entrenamiento?    ☐ Sí    ☐ No

Relevancia de la regla 80/20 para alcanzar la meta:    ☐ Alta    ☐ Moderada    ☐ Baja

*Información sobre el ejercicio*

Disciplina:    ☐ Natación        ☐ Bicicleta        ☐ Carrera        ☐ Otros

Distancia: _____  _____  _____  _____

Tiempo total: _____  _____  _____  _____

Intensidad: _____  _____  _____  _____

*Otros detalles*

Calentamiento: _____  Enfriamiento: _____  Flexibilidad de entrenamiento: _____

Entrenamiento de fuerza: _____  Pesas _____  Series _____  Repeticiones _____

*Resultados y observaciones*

Ritmo/paso: _____    Interrupciones: _____

*Entrenamiento de frecuencia cardiaca:* Frecuencia cardiaca en reposo: _____

*Zona de entrenamiento:*    ☐ Recuperación/resistencia    ☐ Aeróbica/tempo    ☐ Umbral anaeróbico

% de tiempo empleado en la zona de entrenamiento: _____

*Indicadores de lesiones sobreesfuerzo:*    Dolor de articulaciones    ☐ Sí    ☐ No

                                            Mal humor    ☐ Sí    ☐ No

                                            Recuperación lenta    ☐ Sí    ☐ No

                                            Otros: _____

*Notas de entrenamiento y alimentación*

*Séptima semana*

## Diario de entrenamiento del día

*Meta de hoy*                                    *Días antes de la carrera:* _____

### Datos de hoy

Fecha: _____         Condiciones meteorológicas: _____

Hora: _____          Recorrido: _____

Temperatura: _____   Compañeros de entrenamiento: _____

### Ejercicios 80/20

☐ Intervalos    ☐ Bloque    ☐ Simulación de carrera    ☐ Carencias    ☐ Potencia

¿Es éste también un ejercicio clave de entrenamiento?    ☐ Sí    ☐ No

Relevancia de la regla 80/20 para alcanzar la meta:    ☐ Alta    ☐ Moderada    ☐ Baja

### Información sobre el ejercicio

Disciplina:    ☐ Natación        ☐ Bicicleta        ☐ Carrera        ☐ Otros

Distancia: _____  _____  _____  _____

Tiempo total: _____  _____  _____  _____

Intensidad: _____  _____  _____  _____

### Otros detalles

Calentamiento: _____    Enfriamiento: _____    Flexibilidad de entrenamiento: _____

Entrenamiento de fuerza: _____    Pesas _____    Series _____    Repeticiones _____

### Resultados y observaciones

Ritmo/paso: _____        Interrupciones: _____

**Entrenamiento de frecuencia cardiaca:** Frecuencia cardiaca en reposo: _____

*Zona de entrenamiento:*    ☐ Recuperación/resistencia    ☐ Aeróbica/tempo    ☐ Umbral anaeróbico

% de tiempo empleado en la zona de entrenamiento: _____

**Indicadores de lesiones sobreesfuerzo:**    Dolor de articulaciones    ☐ Sí    ☐ No

Mal humor    ☐ Sí    ☐ No

Recuperación lenta    ☐ Sí    ☐ No

Otros: _____

### Notas de entrenamiento y alimentación

## Diario de entrenamiento del día

*Meta de hoy*                                              *Días antes de la carrera:* _____

### Datos de hoy

Fecha: _____     Condiciones meteorológicas: _____

Hora: _____     Recorrido: _____

Temperatura: _____     Compañeros de entrenamiento: _____

### Ejercicios 80/20

☐ Intervalos     ☐ Bloque     ☐ Simulación de carrera     ☐ Carencias     ☐ Potencia

¿Es éste también un ejercicio clave de entrenamiento?     ☐ Sí     ☐ No

Relevancia de la regla 80/20 para alcanzar la meta:     ☐ Alta     ☐ Moderada     ☐ Baja

### Información sobre el ejercicio

Disciplina:     ☐ Natación          ☐ Bicicleta          ☐ Carrera          ☐ Otros

Distancia: _____     _____     _____     _____

Tiempo total: _____     _____     _____     _____

Intensidad: _____     _____     _____     _____

### Otros detalles

Calentamiento: _____     Enfriamiento: _____     Flexibilidad de entrenamiento: _____

Entrenamiento de fuerza: _____     Pesas _____     Series _____     Repeticiones _____

### Resultados y observaciones

Ritmo/paso: _____     Interrupciones: _____

*Entrenamiento de frecuencia cardiaca:* Frecuencia cardiaca en reposo: _____

*Zona de entrenamiento:*     ☐ Recuperación/resistencia     ☐ Aeróbica/tempo     ☐ Umbral anaeróbico

% de tiempo empleado en la zona de entrenamiento: _____

*Indicadores de lesiones sobreesfuerzo:*     Dolor de articulaciones     ☐ Sí     ☐ No

Mal humor     ☐ Sí     ☐ No

Recuperación lenta     ☐ Sí     ☐ No

Otros: _____

### Notas de entrenamiento y alimentación

*Séptima semana*

## Diario de entrenamiento del día

*Meta de hoy*                                      *Días antes de la carrera:* _____

### Datos de hoy

Fecha: _____        Condiciones meteorológicas: _____

Hora: _____         Recorrido: _____

Temperatura: _____  Compañeros de entrenamiento: _____

### Ejercicios 80/20

☐ Intervalos     ☐ Bloque     ☐ Simulación de carrera     ☐ Carencias     ☐ Potencia

¿Es éste también un ejercicio clave de entrenamiento?     ☐ Sí     ☐ No

Relevancia de la regla 80/20 para alcanzar la meta:     ☐ Alta     ☐ Moderada     ☐ Baja

### Información sobre el ejercicio

Disciplina:     ☐ Natación          ☐ Bicicleta          ☐ Carrera          ☐ Otros

Distancia: _____ _____ _____ _____

Tiempo total: _____ _____ _____ _____

Intensidad: _____ _____ _____ _____

### Otros detalles

Calentamiento: _____   Enfriamiento: _____   Flexibilidad de entrenamiento: _____

Entrenamiento de fuerza: _____   Pesas _____   Series _____   Repeticiones _____

### Resultados y observaciones

Ritmo/paso: _____     Interrupciones: _____

*Entrenamiento de frecuencia cardiaca:* Frecuencia cardiaca en reposo: _____

*Zona de entrenamiento:*     ☐ Recuperación/resistencia     ☐ Aeróbica/tempo     ☐ Umbral anaeróbico

% de tiempo empleado en la zona de entrenamiento: _____

*Indicadores de lesiones sobreesfuerzo:*     Dolor de articulaciones     ☐ Sí     ☐ No

Mal humor     ☐ Sí     ☐ No

Recuperación lenta     ☐ Sí     ☐ No

Otros: _____

### Notas de entrenamiento y alimentación

## Diario de entrenamiento del día

*Meta de hoy*                                    *Días antes de la carrera:* _____

### Datos de hoy

Fecha: _____          Condiciones meteorológicas: _____

Hora: _____          Recorrido: _____

Temperatura: _____          Compañeros de entrenamiento: _____

### Ejercicios 80/20

☐ Intervalos     ☐ Bloque     ☐ Simulación de carrera     ☐ Carencias     ☐ Potencia

¿Es éste también un ejercicio clave de entrenamiento?     ☐ Sí     ☐ No

Relevancia de la regla 80/20 para alcanzar la meta:     ☐ Alta     ☐ Moderada     ☐ Baja

### Información sobre el ejercicio

Disciplina:     ☐ Natación          ☐ Bicicleta          ☐ Carrera          ☐ Otros

Distancia: _____     _____     _____     _____

Tiempo total: _____     _____     _____     _____

Intensidad: _____     _____     _____     _____

### Otros detalles

Calentamiento: _____     Enfriamiento: _____     Flexibilidad de entrenamiento: _____

Entrenamiento de fuerza: _____     Pesas _____     Series _____     Repeticiones _____

### Resultados y observaciones

Ritmo/paso: _____          Interrupciones: _____

**Entrenamiento de frecuencia cardiaca:** Frecuencia cardiaca en reposo: _____

*Zona de entrenamiento:*     ☐ Recuperación/resistencia     ☐ Aeróbica/tempo     ☐ Umbral anaeróbico

% de tiempo empleado en la zona de entrenamiento: _____

**Indicadores de lesiones sobreesfuerzo:**     Dolor de articulaciones     ☐ Sí     ☐ No

Mal humor     ☐ Sí     ☐ No

Recuperación lenta     ☐ Sí     ☐ No

Otros: _____

### Notas de entrenamiento y alimentación

## Diario de entrenamiento del día

*Meta de hoy*                    *Días antes de la carrera:* _____

### Datos de hoy

Fecha: _____    Condiciones meteorológicas: _____

Hora: _____    Recorrido: _____

Temperatura: _____    Compañeros de entrenamiento: _____

### Ejercicios 80/20

☐ Intervalos    ☐ Bloque    ☐ Simulación de carrera    ☐ Carencias    ☐ Potencia

¿Es éste también un ejercicio clave de entrenamiento?    ☐ Sí    ☐ No

Relevancia de la regla 80/20 para alcanzar la meta:    ☐ Alta    ☐ Moderada    ☐ Baja

### Información sobre el ejercicio

Disciplina:    ☐ Natación    ☐ Bicicleta    ☐ Carrera    ☐ Otros

Distancia: _____  _____  _____  _____

Tiempo total: _____  _____  _____  _____

Intensidad: _____  _____  _____  _____

### Otros detalles

Calentamiento: _____  Enfriamiento: _____  Flexibilidad de entrenamiento: _____

Entrenamiento de fuerza: _____  Pesas _____  Series _____  Repeticiones _____

### Resultados y observaciones

Ritmo/paso: _____    Interrupciones: _____

*Entrenamiento de frecuencia cardiaca:* Frecuencia cardiaca en reposo: _____

*Zona de entrenamiento:*    ☐ Recuperación/resistencia    ☐ Aeróbica/tempo    ☐ Umbral anaeróbico

% de tiempo empleado en la zona de entrenamiento: _____

*Indicadores de lesiones sobreesfuerzo:*    Dolor de articulaciones    ☐ Sí    ☐ No

Mal humor    ☐ Sí    ☐ No

Recuperación lenta    ☐ Sí    ☐ No

Otros: _____

### Notas de entrenamiento y alimentación

*Séptima semana*

## Diario de entrenamiento del día

*Meta de hoy*                                    *Días antes de la carrera:* _____

### Datos de hoy

Fecha: _____        Condiciones meteorológicas: _____

Hora: _____         Recorrido: _____

Temperatura: _____  Compañeros de entrenamiento: _____

### Ejercicios 80/20

☐ Intervalos      ☐ Bloque      ☐ Simulación de carrera      ☐ Carencias      ☐ Potencia

¿Es éste también un ejercicio clave de entrenamiento?      ☐ Sí      ☐ No

Relevancia de la regla 80/20 para alcanzar la meta:      ☐ Alta      ☐ Moderada      ☐ Baja

### Información sobre el ejercicio

Disciplina:      ☐ Natación         ☐ Bicicleta         ☐ Carrera         ☐ Otros

Distancia: _____  _____  _____  _____

Tiempo total: _____  _____  _____  _____

Intensidad: _____  _____  _____  _____

### Otros detalles

Calentamiento: _____   Enfriamiento: _____   Flexibilidad de entrenamiento: _____

Entrenamiento de fuerza: _____   Pesas _____   Series _____   Repeticiones _____

### Resultados y observaciones

Ritmo/paso: _____      Interrupciones: _____

*Entrenamiento de frecuencia cardiaca:* Frecuencia cardiaca en reposo: _____

*Zona de entrenamiento:*   ☐ Recuperación/resistencia   ☐ Aeróbica/tempo   ☐ Umbral anaeróbico

% de tiempo empleado en la zona de entrenamiento: _____

*Indicadores de lesiones sobreesfuerzo:*   Dolor de articulaciones   ☐ Sí   ☐ No

Mal humor   ☐ Sí   ☐ No

Recuperación lenta   ☐ Sí   ☐ No

Otros: _____

### Notas de entrenamiento y alimentación

**Octava semana**

## Hoja de planificación semanal

La meta de esta semana _____

Fase de entrenamiento (marque una):     base     VTH     máximo rendimiento     reducción

|  | Ejercicio | Distancia o tiempo | Tipo o intensidad | Recorrido | Notas |
|---|---|---|---|---|---|
| Lunes |  |  |  |  |  |
| Martes |  |  |  |  |  |
| Miércoles |  |  |  |  |  |
| Jueves |  |  |  |  |  |
| Viernes |  |  |  |  |  |
| Sábado |  |  |  |  |  |
| Domingo |  |  |  |  |  |

Distancia marcada como objetivo y totales de tiempo para esta semana:

Natación: _____     Ciclismo: _____     Carrera a pie: _____

## Diario de entrenamiento del día

*Meta de hoy*                    *Días antes de la carrera:* _____

### Datos de hoy

Fecha: _____        Condiciones meteorológicas: _____

Hora: _____         Recorrido: _____

Temperatura: _____     Compañeros de entrenamiento: _____

### Ejercicios 80/20

☐ Intervalos     ☐ Bloque     ☐ Simulación de carrera     ☐ Carencias     ☐ Potencia

¿Es éste también un ejercicio clave de entrenamiento?     ☐ Sí     ☐ No

Relevancia de la regla 80/20 para alcanzar la meta:     ☐ Alta     ☐ Moderada     ☐ Baja

### Información sobre el ejercicio

Disciplina:    ☐ Natación          ☐ Bicicleta          ☐ Carrera          ☐ Otros

Distancia:    _____    _____    _____    _____

Tiempo total:  _____    _____    _____    _____

Intensidad:   _____    _____    _____    _____

### Otros detalles

Calentamiento: _____    Enfriamiento: _____    Flexibilidad de entrenamiento: _____

Entrenamiento de fuerza: _____    Pesas _____    Series _____    Repeticiones _____

### Resultados y observaciones

Ritmo/paso: _____        Interrupciones: _____

*Entrenamiento de frecuencia cardiaca:* Frecuencia cardiaca en reposo: _____

*Zona de entrenamiento:*    ☐ Recuperación/resistencia     ☐ Aeróbica/tempo     ☐ Umbral anaeróbico

% de tiempo empleado en la zona de entrenamiento: _____

*Indicadores de lesiones sobreesfuerzo:*    Dolor de articulaciones    ☐ Sí    ☐ No

Mal humor    ☐ Sí    ☐ No

Recuperación lenta    ☐ Sí    ☐ No

Otros: _____

### Notas de entrenamiento y alimentación

*Octava semana*

## Diario de entrenamiento del día

*Meta de hoy*                                  *Días antes de la carrera:* _____

### Datos de hoy

Fecha: _____          Condiciones meteorológicas: _____

Hora: _____          Recorrido: _____

Temperatura: _____          Compañeros de entrenamiento: _____

### Ejercicios 80/20

☐ Intervalos     ☐ Bloque     ☐ Simulación de carrera     ☐ Carencias     ☐ Potencia

¿Es éste también un ejercicio clave de entrenamiento?     ☐ Sí     ☐ No

Relevancia de la regla 80/20 para alcanzar la meta:     ☐ Alta     ☐ Moderada     ☐ Baja

### Información sobre el ejercicio

Disciplina:     ☐ Natación          ☐ Bicicleta          ☐ Carrera          ☐ Otros

Distancia: _____    _____    _____    _____

Tiempo total: _____    _____    _____    _____

Intensidad: _____    _____    _____    _____

### Otros detalles

Calentamiento: _____    Enfriamiento: _____    Flexibilidad de entrenamiento: _____

Entrenamiento de fuerza: _____    Pesas _____    Series _____    Repeticiones _____

### Resultados y observaciones

Ritmo/paso: _____          Interrupciones: _____

*Entrenamiento de frecuencia cardiaca:* Frecuencia cardiaca en reposo: _____

*Zona de entrenamiento:*    ☐ Recuperación/resistencia    ☐ Aeróbica/tempo    ☐ Umbral anaeróbico

% de tiempo empleado en la zona de entrenamiento: _____

*Indicadores de lesiones sobreesfuerzo:*     Dolor de articulaciones    ☐ Sí    ☐ No

                                             Mal humor    ☐ Sí    ☐ No

                                             Recuperación lenta    ☐ Sí    ☐ No

                                             Otros: _____

### Notas de entrenamiento y alimentación

*Octava semana*

## Diario de entrenamiento del día

*Meta de hoy*                                    *Días antes de la carrera:* _____

### Datos de hoy

Fecha: _____     Condiciones meteorológicas: _____

Hora: _____     Recorrido: _____

Temperatura:_____     Compañeros de entrenamiento: _____

### Ejercicios 80/20

☐ Intervalos     ☐ Bloque     ☐ Simulación de carrera     ☐ Carencias     ☐ Potencia

¿Es éste también un ejercicio clave de entrenamiento?     ☐ Sí     ☐ No

Relevancia de la regla 80/20 para alcanzar la meta:     ☐ Alta     ☐ Moderada     ☐ Baja

### Información sobre el ejercicio

Disciplina:     ☐ Natación     ☐ Bicicleta     ☐ Carrera     ☐ Otros

Distancia:     _____     _____     _____     _____

Tiempo total:     _____     _____     _____     _____

Intensidad:     _____     _____     _____     _____

### Otros detalles

Calentamiento: _____     Enfriamiento: _____     Flexibilidad de entrenamiento: _____

Entrenamiento de fuerza: _____     Pesas _____     Series _____     Repeticiones _____

### Resultados y observaciones

Ritmo/paso: _____     Interrupciones: _____

*Entrenamiento de frecuencia cardiaca:* Frecuencia cardiaca en reposo: _____

*Zona de entrenamiento:*     ☐ Recuperación/resistencia     ☐ Aeróbica/tempo     ☐ Umbral anaeróbico

% de tiempo empleado en la zona de entrenamiento: _____

*Indicadores de lesiones sobreesfuerzo:*     Dolor de articulaciones     ☐ Sí     ☐ No

                                              Mal humor     ☐ Sí     ☐ No

                                              Recuperación lenta     ☐ Sí     ☐ No

                                              Otros: _____

### Notas de entrenamiento y alimentación

## Diario de entrenamiento del día

*Meta de hoy*                           *Días antes de la carrera:* _____

### Datos de hoy

Fecha: _____    Condiciones meteorológicas: _____

Hora: _____    Recorrido: _____

Temperatura: _____    Compañeros de entrenamiento: _____

### Ejercicios 80/20

☐ Intervalos    ☐ Bloque    ☐ Simulación de carrera    ☐ Carencias    ☐ Potencia

¿Es éste también un ejercicio clave de entrenamiento?    ☐ Sí    ☐ No

Relevancia de la regla 80/20 para alcanzar la meta:    ☐ Alta    ☐ Moderada    ☐ Baja

### Información sobre el ejercicio

Disciplina:    ☐ Natación    ☐ Bicicleta    ☐ Carrera    ☐ Otros

Distancia:    _____    _____    _____    _____

Tiempo total:    _____    _____    _____    _____

Intensidad:    _____    _____    _____    _____

### Otros detalles

Calentamiento: _____    Enfriamiento: _____    Flexibilidad de entrenamiento: _____

Entrenamiento de fuerza: _____    Pesas _____    Series _____    Repeticiones _____

### Resultados y observaciones

Ritmo/paso: _____    Interrupciones: _____

**Entrenamiento de frecuencia cardiaca:** Frecuencia cardiaca en reposo: _____

*Zona de entrenamiento:*    ☐ Recuperación/resistencia    ☐ Aeróbica/tempo    ☐ Umbral anaeróbico

% de tiempo empleado en la zona de entrenamiento: _____

**Indicadores de lesiones sobreesfuerzo:**    Dolor de articulaciones    ☐ Sí    ☐ No

Mal humor    ☐ Sí    ☐ No

Recuperación lenta    ☐ Sí    ☐ No

Otros: _____

### Notas de entrenamiento y alimentación

## Diario de entrenamiento del día

*Meta de hoy*                                      *Días antes de la carrera:* _____

### Datos de hoy

Fecha: _____        Condiciones meteorológicas: _____

Hora: _____        Recorrido: _____

Temperatura:_____        Compañeros de entrenamiento: _____

### Ejercicios 80/20

☐ Intervalos     ☐ Bloque     ☐ Simulación de carrera     ☐ Carencias     ☐ Potencia

¿Es éste también un ejercicio clave de entrenamiento?     ☐ Sí     ☐ No

Relevancia de la regla 80/20 para alcanzar la meta:     ☐ Alta     ☐ Moderada     ☐ Baja

### Información sobre el ejercicio

Disciplina:     ☐ Natación          ☐ Bicicleta          ☐ Carrera          ☐ Otros

Distancia:     _____     _____     _____     _____

Tiempo total:  _____     _____     _____     _____

Intensidad:    _____     _____     _____     _____

### Otros detalles

Calentamiento: _____     Enfriamientos: _____     Flexibilidad de entrenamiento: _____

Entrenamiento de fuerza: _____     Pesas _____     Series _____     Repeticiones _____

### Resultados y observaciones

Ritmo/paso: _____     Interrupciones: _____

*Entrenamiento de frecuencia cardiaca:* Frecuencia cardiaca en reposo: _____

*Zona de entrenamiento:*     ☐ Recuperación/resistencia     ☐ Aeróbica/tempo     ☐ Umbral anaeróbico

% de tiempo empleado en la zona de entrenamiento: _____

*Indicadores de lesiones sobreesfuerzo:*     Dolor de articulaciones     ☐ Sí     ☐ No

Mal humor     ☐ Sí     ☐ No

Recuperación lenta     ☐ Sí     ☐ No

Otros: _____

### Notas de entrenamiento y alimentación

## Diario de entrenamiento del día

**Meta de hoy**                                    **Días antes de la carrera:** _____

### Datos de hoy

Fecha: _____          Condiciones meteorológicas: _____

Hora: _____          Recorrido: _____

Temperatura:_____          Compañeros de entrenamiento: _____

### Ejercicios 80/20

☐ Intervalos     ☐ Bloque     ☐ Simulación de carrera     ☐ Carencias     ☐ Potencia

¿Es éste también un ejercicio clave de entrenamiento?     ☐ Sí     ☐ No

Relevancia de la regla 80/20 para alcanzar la meta:     ☐ Alta     ☐ Moderada     ☐ Baja

### Información sobre el ejercicio

Disciplina:     ☐ Natación          ☐ Bicicleta          ☐ Carrera          ☐ Otros

Distancia:     _____     _____     _____     _____

Tiempo total:     _____     _____     _____     _____

Intensidad:     _____     _____     _____     _____

### Otros detalles

Calentamiento: _____     Enfriamiento: _____     Flexibilidad de entrenamiento: _____

Entrenamiento de fuerza: _____     Pesas _____     Series _____     Repeticiones _____

### Resultados y observaciones

Ritmo/paso: _____          Interrupciones: _____

**Entrenamiento de frecuencia cardiaca:** Frecuencia cardiaca en reposo: _____

*Zona de entrenamiento:*     ☐ Recuperación/resistencia     ☐ Aeróbica/tempo     ☐ Umbral anaeróbico

% de tiempo empleado en la zona de entrenamiento: _____

**Indicadores de lesiones sobreesfuerzo:**     Dolor de articulaciones     ☐ Sí     ☐ No

Mal humor     ☐ Sí     ☐ No

Recuperación lenta     ☐ Sí     ☐ No

Otros: _____

### Notas de entrenamiento y alimentación

*Octava semana*

## Diario de entrenamiento del día

*Meta de hoy*                                   *Días antes de la carrera:* _____

### Datos de hoy

Fecha: _____          Condiciones meteorológicas: _____

Hora: _____           Recorrido: _____

Temperatura: _____       Compañeros de entrenamiento: _____

### Ejercicios 80/20

☐ Intervalos    ☐ Bloque    ☐ Simulación de carrera    ☐ Carencias    ☐ Potencia

¿Es éste también un ejercicio clave de entrenamiento?    ☐ Sí    ☐ No

Relevancia de la regla 80/20 para alcanzar la meta:    ☐ Alta    ☐ Moderada    ☐ Baja

### Información sobre el ejercicio

Disciplina:    ☐ Natación        ☐ Bicicleta        ☐ Carrera        ☐ Otros

Distancia: _____   _____   _____   _____

Tiempo total: _____   _____   _____   _____

Intensidad: _____   _____   _____   _____

### Otros detalles

Calentamiento: _____   Enfriamiento: _____   Flexibilidad de entrenamiento: _____

Entrenamiento de fuerza: _____   Pesas _____   Series _____   Repeticiones _____

### Resultados y observaciones

Ritmo/paso: _____   Interrupciones: _____

*Entrenamiento de frecuencia cardiaca:* Frecuencia cardiaca en reposo: _____

*Zona de entrenamiento:*    ☐ Recuperación/resistencia    ☐ Aeróbica/tempo    ☐ Umbral anaeróbico

% de tiempo empleado en la zona de entrenamiento: _____

*Indicadores de lesiones sobreesfuerzo:*    Dolor de articulaciones    ☐ Sí    ☐ No

Mal humor    ☐ Sí    ☐ No

Recuperación lenta    ☐ Sí    ☐ No

Otros: _____

### Notas de entrenamiento y alimentación

## Resumen de entrenamiento semanal (semanas 1-4)

| Mes: _____ | Totales de natación | Totales de ciclismo | Totales de carrera a pie |
|---|---|---|---|
| Semana 1 | | | |
| Semana 2 | | | |
| Semana 3 | | | |
| Semana 4 | | | |
| Totales de este mes | | | |
| Totales del último mes | | | |
| Totales anuales ya actualizado hasta la fecha (o de temporada) | | | |

## Resumen de entrenamiento semanal (semanas 5-8)

| Mes: _____ | Totales de natación | Totales de ciclismo | Totales de carrera a pie |
|---|---|---|---|
| Semana 5 | | | |
| Semana 6 | | | |
| Semana 7 | | | |
| Semana 8 | | | |
| Totales de este mes | | | |
| Totales del último mes | | | |
| Totales anuales ya actualizado hasta la fecha (o de temporada) | | | |

## Notas

## Notas

## Notas

## Notas

## Notas

## Notas

# Índice alfabético

*Nota:* la letra *t* que aparece en cursiva después del número de página hace referencia a la tabla

# Sobre el autor

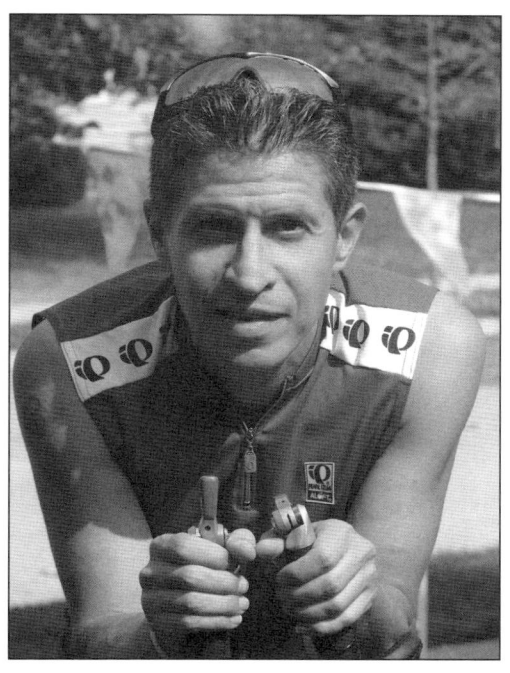

**John M. Mora** es un prolífico escritor norteamericano de deporte, salud y fitness, y medicina. Fue uno de los primeros editores colaboradores de Human Kinetics en sus publicaciones, actualmente es columnista de carreras pedestres y escribe artículos sobre triatlón en la revista norteamericana *Windy City Sports*. Ha publicado más de 400 artículos para revistas de EE. UU., entre ellas *American Health*, *Women's Sports & Fitness* y *Runner's World*. Es también coautor de *Peak Fitness for Women* (Human Kinetics, 1995), junto a Paula Newby-Fraser, la ocho veces campeona del Campeonato Mundial de Triatlón Ironman de Hawaii patrocinado por Gatorade. Se han vendido más de 60.000 copias en todo el mundo de su segundo libro *Triatlón 101* (Human Kinetics) traducido en dos idiomas. Nacido en Chicago, John Mora ha competido por todo EE. UU. en 10 maratones, 70 eventos de carreras y ciclismo y 80 triatlones de varias distancias (de sprint a Ironman). Es propietario de Creative3, una empresa de marketing especializada en salud, fitness e industria médica. John Mora vive y entrena en Plainfield, Illinois, un pueblo a las afueras de Chicago.